COLLECTION
FOLIO/THÉÂTRE

Marivaux

Le Jeu de l'amour et du hasard

Préface de
Catherine Naugrette-Christophe
Maître de conférences à l'Université
des Sciences humaines de Strasbourg

Édition établie et annotée
par Jean-Paul Sermain
Professeur à l'Université de Paris III

Gallimard

PRÉFACE

Depuis longtemps, Le Jeu de l'amour et du hasard *est la pièce la plus connue du théâtre de Marivaux, la plus représentative et la plus représentée. Dans les manuels de littérature française comme sur les scènes de nos théâtres, en particulier de la Comédie-Française, le* Jeu *s'est imposé. Plus encore que* Les Fausses Confidences, *il est devenu en l'espace de deux siècles la comédie emblématique de l'esthétique et de la dramaturgie marivaudiennes. Il a même connu quelques âges d'or, durant les années vingt, lorsque Pierre Fresnay jouait Dorante, et surtout pendant une période allant approximativement de l'après-guerre, des années cinquante, aux années 1970. Qui ne se souvient parmi les téléfilms tournés par Marcel Bluwal à cette époque du* Jeu de l'amour et du hasard *réalisé en 1967 au château de Montgeoffrey (près d'Alès), avec Danièle Lebrun dans le rôle de Silvia*[1] *? À l'inverse, les metteurs en scène de la décennie suivante ont un peu négligé le* Jeu, *préférant redécouvrir des pièces plus oubliées dans l'œuvre de Marivaux, comme* La Dispute *montée par Patrice Chéreau en 1973 au théâtre des Amandiers de Nanterre, dans une mise en scène désormais célèbre. Aujourd'hui, alors que l'on joue tout*

1. Voir infra, p. 159.

Marivaux — toutes les pièces, des plus petites et des moins connues comme Le Legs *ou* Félicie *aux plus grandes, aux plus célèbres —, on revient au* Jeu. *On le lit, on le relit. On le met en scène, avec plus d'attention peut-être et d'ambition : avec le secret espoir de mettre enfin à jour les clefs de son exquise perfection.*

Histoire d'une carrière

Six mois après l'échec en juin 1729 de La Nouvelle Colonie, *retirée de l'affiche dès le lendemain de la première, Marivaux présente au Théâtre-Italien une nouvelle comédie, créée le 23 janvier 1730 :* Le Jeu de l'amour et du hasard. *D'emblée, la pièce est bien accueillie par le public. La recette du premier soir s'élève à 977 livres et dix sols, ce qui est raisonnable*[1]. *Surtout, elle a quatorze représentations, ce qui est considérable pour l'époque. Comme le signale le* Mercure de France *dans sa livraison de janvier, la « pièce nouvelle en prose et en trois actes, de M. de Marivaux », a été « reçue très favorablement » ; elle a connu « un très grand succès ». De même, la comédie du* Jeu *est « très goûtée » lorsqu'elle est présentée devant le Roi, à Versailles, le samedi 28 janvier, et à Paris, le 21 février, devant la duchesse du Maine. À la ville comme à la Cour, les spectateurs apprécient cette nouvelle « surprise de l'amour » que leur propose un auteur au sommet de son œuvre et de son art.*

En 1730, Marivaux a quarante-deux ans. Entré en littérature à l'âge de vingt-quatre ans, avec la publication en 1712

1. À la même époque, certaines recettes de théâtre peuvent aller jusqu'à 2000 et parfois 3000 livres par soirée. La meilleure recette du *Jeu* est celle du 26 janvier, qui atteint 1971 livres.

d'une première comédie, Le Père prudent et équitable, *il a déjà écrit et fait représenter une quinzaine de pièces environ, parmi lesquelles* La Double Inconstance *et les deux* Surprise de l'amour. *Après quoi, il écrira encore vingt comédies, ce qui, avec un total de trente-cinq pièces, le range parmi les plus féconds des grands auteurs du théâtre français. Placée au centre de l'œuvre et de la vie de Marivaux,* Le Jeu de l'amour et du hasard *est donc bien une pièce de la maturité, équilibrée et accomplie, toute de maîtrise et de subtilité. Le public du temps ne s'y trompe pas, même s'il émet quelques réserves quant au rôle tenu par Arlequin dans la pièce et la vraisemblance relative qu'il y a à se persuader qu'il peut vraiment être Dorante*[1]. *« Au reste, tout le monde convient que la pièce est bien écrite et pleine d'esprit, de sentiment et de délicatesse*[2] *». Reprise dès l'année suivante par les Comédiens-Italiens, elle ne cesse de figurer à l'affiche jusqu'en 1762, date à laquelle la troupe s'associe à celle de Favart pour fonder l'Opéra-Comique. Dès lors, le relais est assuré par les Comédiens-Français. Donnée en 1791 au théâtre de la République par les dissidents de la Comédie-Française (Mme Vestris, Dugazon et Talma), elle entre définitivement au répertoire du Français en 1796, sous le titre légèrement modifié des* Jeux de l'amour et du hasard. *Elle conservera ce pluriel durant tout le XIX*e *siècle, de même qu'Arlequin le nom de Pasquin (qui rime*

1. Dans le *Mercure* du mois d'avril, le rédacteur se fait l'écho des spectateurs de l'époque. Tout en ayant apprécié la pièce, ceux-ci ont en effet émis quelques « remarques » : notamment à propos d'Arlequin (« qu'il n'est pas vraisemblable que Silvia puisse se persuader qu'un butor » comme lui « soit ce même Dorante dont on lui a fait une peinture si avantageuse ») et du troisième acte, que l'on a jugé superflu (« on aurait voulu que le second acte eût été le troisième », et finir par la reconnaissance mutuelle de Dorante et de Silvia, ceux-ci « étant les objets principaux de la pièce »).

2. *Mercure* du mois d'avril.

avec coquin ou faquin, comme le veut la scène 6 de l'acte III), sous lequel il a été francisé dès les années 1780[1].

Depuis, il s'agit de l'une des pièces les plus jouées à la Comédie-Française, comme en témoignent les chiffres, qui dénotent de surcroît une progression constante. De 778 représentations pour la période qui va de 1791 à 1920, on passe à 953 représentations en 1945, à 1 200 en 1956, et enfin à 1 547 en 1988. La très nette augmentation qui affecte les dernières statistiques indique d'ailleurs clairement l'apogée de la carrière du *Jeu* à la Comédie-Française au lendemain de la Seconde Guerre mondiale : en l'espace de dix ans seulement, de 1945 à 1956, la pièce est donnée deux cent fois Entre 1956 et 1988, c'est-à-dire sur une durée de trente ans environ, elle sera encore jouée à 347 reprises, ce qui, pour être moins spectaculaire, confirme le succès du *Jeu* ainsi que la longévité d'une carrière en tous points exemplaire.

De grands interprètes

La faveur toujours renouvelée, rencontrée par *Le Jeu de l'amour et du hasard* au cours des siècles, doit beaucoup aux différents comédiens qui en ont successivement incarné les personnages. Dès l'origine, le *Jeu* a bénéficié du talent et du style tout particuliers d'acteurs remarquables : les Comédiens-Italiens. La tradition qui veut qu'une troupe italienne soit installée de façon permanente à Paris est très ancienne, et remonte au XVIIe siècle. On le sait, Molière a partagé dans les années 1660 les salles occupées par les Italiens. Mais l'ancienne

1. Le changement du nom d'Arlequin en Pasquin s'effectue en 1779, lors des débuts de l'acteur Boucher dans le rôle (voir Frédéric Deloffre, éd. du *Théâtre comblet* de Marivaux, Garnier, t. I, p. 789).

Comédie-Italienne a été chassée en 1697, dans les dernières années du règne de Louis XIV, pour s'être moquée de Mme de Maintenon en représentant La Fausse Prude, *et sans doute aussi pour avoir fait montre de trop d'insolente gaieté en cette austère fin de règne. En 1730, il s'agit donc d'un nouveau Théâtre-Italien, installé dans la capitale depuis une quinzaine d'années seulement. Luigi Riccoboni et sa troupe sont arrivés dans la capitale française en 1716, après que la mort de Louis XIV et l'avènement du Régent ont permis à des comédiens italiens de revenir jouer en France. Il se produit ainsi dans les années 1720 une heureuse coïncidence et une rencontre féconde entre les Italiens arrivant à Paris pour y fonder un nouveau théâtre et le jeune auteur de théâtre Marivaux, qui est à la recherche de comédiens pour jouer ses pièces.*

C'est en 1720 qu'ont lieu les véritables débuts de la longue collaboration de Marivaux et des Comédiens-Italiens, avec la création en mars de L'Amour et la Vérité, *puis en octobre d'*Arlequin poli par l'amour, *dans la très ancienne salle de l'Hôtel de Bourgogne, rue Mauconseil*[1]. *Dès ce moment, la plupart des comédies marivaudiennes seront créées et jouées par Luigi Riccoboni (sous le nom de Lelio) et ses acteurs, le plus souvent des membres de sa famille, comme le veut la tradition des troupes de Commedia dell'Arte*[2] *: sa femme Elena (Flaminia), son fils François, son beau-frère Joseph Baletti (Mario), Tomasso Vicentini, dit Thomassin (qui joue Arlequin), Antoine Romagnesi, entré dans la troupe en 1725, Violette (la femme de Thomassin), et bientôt Gianetta Benozzi, dite Silvia, qui*

1. À l'instar de l'ancien Théâtre-Italien, les comédiens de Luigi Riccoboni s'installent dans la salle de l'Hôtel de Bourgogne dès leur retour à Paris, en 1716.

2. À propos de la tradition de la Commedia dell'Arte et d'une pratique de la comédie « à l'impromptu » par le Théâtre-Italien, voir ci-dessous, p. 152.

épousera Baletti en 1721. On sait à quel point il y a eu symbiose, échanges fructueux et influence réciproque entre la troupe de Riccoboni et Marivaux : entre l'art de l'acteur et l'œuvre de l'auteur dramatique. Comment, dès les premières comédies, les traits des personnages marivaudiens se sont modelés en fonction des principaux interprètes du Théâtre-Italien, dont ils ont souvent adopté les noms sinon le caractère et les manières, tandis que la fraîcheur et la vivacité du langage reflétaient l'allégresse de leur jeu. En 1730, la nouvelle pièce de Marivaux bénéficie à son tour de la réussite d'une telle collaboration, même si, à cette époque, Riccoboni et sa femme sont repartis en Italie et la troupe s'est reformée autour de Silvia et de Thomassin. Dans une distribution où transparaissent les noms des interprètes, on trouve donc Antoine Romagnesi (qui joue sans doute Dorante), Thomassin (Arlequin), Baletti (Mario), l'actrice Thérèse Lalande (qui joue Lisette), et Gianetta Benozzi, qui conserve son nom de scène et joue Silvia.

L'influence de Silvia sur Marivaux et son théâtre a souvent été soulignée. D'Alembert rapporte, dans son *Éloge de Marivaux*, que celui-ci « distinguait surtout la fameuse Silvia, dont il louait souvent, avec une espèce d'enthousiasme, le rare talent pour jouer ses pièces ». Il est vrai, ajoute-t-il, « qu'en faisant l'éloge de cette actrice, il faisait aussi le sien sans y penser ; car il avait contribué à la rendre aussi parfaite qu'elle l'était devenue ». De fait, il semble que Silvia ait été une interprète incomparable des grandes comédies marivaudiennes, en particulier du *Jeu de l'amour et du hasard*, où le personnage d'amoureuse auquel elle a donné son nom est au centre de la pièce, dévoilant en une sorte de ballet vertigineux ses multiples facettes. Comme l'explique un chroniqueur du XVIIIe siècle, « personne n'entendait mieux que cette Actrice l'art des grâces bourgeoises, et ne rendait mieux qu'elle le tatillonnage, les mièvreries, le marivaudage ; tous mots qui ne signifiaient *rien avant M. de Marivaux, et auxquels son style a donné naissance*[1] ». *Dans le* Jeu, *la très belle Silvia (que l'on pense à son portrait, peint par de Troy ou par Van Loo) était à même de séduire tous les cœurs, dût-elle le faire sous la défroque de Lisette, en maniant l'art savant du marivaudage, du* « *tatillonnage* », *avec une telle perfection qu'il en paraissait naturel. On a beaucoup vanté le* « *naturel* » *de Silvia, avec raison sans doute. Casanova, qui fut un temps son locataire, n'écrivait-il* pas à son propos dans ses Mémoires, *que* « *tout en elle était nature et l'art qui la perfectionnait était toujours caché*[2] » ? *Ce qui correspondrait assez bien à la description du personnage de Silvia dans* Le Jeu de l'amour et du hasard : *c'est avec le plus grand naturel qu'elle parvient, sous les traits de Lisette, à se faire aimer de Dorante, avant qu'il ne découvre son art consommé du déguisement à la fin du troisième acte.*

Au siècle suivant, c'est Mlle Mars qui domine l'interprétation du rôle et parvient à imposer le théâtre de Marivaux à la Comédie-Française en pleine période romantique, en particulier Le Jeu de l'amour et du hasard, *qui commence dans les années 1840 à devancer* Les Fausses Confidences *au répertoire. Il est vrai qu'on a pu lui reprocher d'avoir trop marqué le personnage de son empreinte. Selon Théophile Gautier, grand admirateur du théâtre de Marivaux, cette comédienne* « *si parfaite* » *a le grand tort d'être entièrement occupée à* « *établir sur la pièce son écrasante supériorité*[3] ».

1. Jean-Auguste Jullien, dit Desboulmiers, *Histoire anecdotique et raisonnée du Théâtre-Italien depuis son rétablissement en France jusqu'à l'année 1769*, Lacombe, 1769, 7 vol., t. 4, p. 546.
2. À propos de Silvia, voir Casanova, *Mémoires*, Garnier frères, 8 vol., t. 2, p. 196-198.
3. Théophile Gautier, *Histoire de l'art dramatique en France depuis vingt-cinq ans*, Hetzel, 1859, t. 5, p. 309-310

Son grand regret : que Mlle Mars n'ait pas conféré à la Silvia du Jeu *un souffle, une liberté et une invention, qui, pour tout dire, confèrent aux héroïnes marivaudiennes une dimension romantique, les rapprochant ainsi secrètement des femmes des comédies de Shakespeare, car « elles sont cousines des Rosalinde, des Hermia, des Perdita, des Beatrix »... Les comédiennes qui reprennent successivement le rôle de Silvia, à compter des années 1840, sont nombreuses et continuent la tradition inaugurée par Mlle Mars, en cherchant le brillant du style et la perfection de l'interprétation. Le 2 mai 1843, Mme Arnould-Plessy succède à Mlle Mars dans le rôle de Silvia. Elle y apparaît, dit-on, comme « la perfection des perfections*[1] *». Puis on trouve Madeleine Brohan*[2]*, Mlle Judith, et même Sarah Bernhardt, dont ce sont les débuts à l'Odéon en 1866. Julia Bartet jouera le rôle au Théâtre-Français au tournant du siècle, entre 1891 et 1919, suivie bientôt par les principales actrices de la Comédie-Française au XX*e *siècle, Béatrix Dussane, Marie Ventura, Marie Bell, Madeleine Renaud, qui incarneront tour à tour le personnage de la Silvia du* Jeu *avant que le rôle soit, selon Maurice Descotes, véritablement « renouvelé » en 1953 par l'interprétation d'Hélène Perdrière : « ce qui était mis en valeur, ce n'était pas l'ingénuité, l'esprit un peu folâtre du personnage, mais la montée de l'émotion jusqu'aux limites du*

1. Cité par Jean Fournier et Maurice Bastide, édition du *Théâtre complet* de Marivaux, présentation de Jean Giraudoux, Les Éditions Nationales, 1946, t. 1, p. 30.

2. Il existe ainsi dans les années 1850 une véritable tradition familiale en ce qui concerne les rôles féminins du *Jeu* au Français. Le personnage de Lisette est d'abord joué par Suzanne Brohan (la mère), puis par l'aînée de ses deux filles, Augustine, tandis que la cadette, Madeleine, joue Silvia. Grâce à ce dernier duo ainsi qu'aux tempéraments des deux actrices qui le composaient, la représentation de 1851 ne manqua pas d'être animée, si l'on en croit Théophile Gautier (voir infra, p. 156).

pathétique[1] ». *Enfin, avec Danièle Lebrun, on reviendra en 1967, à une Silvia plus allègre et primesautière, mais plus fragile aussi.*

Il existe moins de témoignages sur l'interprétation des rôles masculins du Jeu de l'amour et du hasard, *un peu effacés par la performance demandée à l'actrice dans le rôle de Silvia, héroïne incontestée de la pièce, tant par sa présence en scène que par son importance dans l'intrigue. Pourtant, il y eut également de grands interprètes de Dorante ou d'Arlequin, à commencer par Antoine Romagnesi, « Premier amoureux » du Théâtre-Italien et sans doute créateur du rôle de Dorante*[2]. *À l'époque romantique, c'est Delaunay, « le jeune premier le plus accompli de Paris » selon Gautier, qui reprend le rôle à l'Odéon (en 1845-1846), puis Bressant qui, à quarante-quatre ans (en 1859), jouait avec un air « de bon ton imprégné d'une douce mélancolie*[3] ». *Dans les années vingt, Pierre Fresnay, par son élégance et sa vivacité, fut sans doute « l'un des plus remarquables Dorante de l'histoire du répertoire*[4] », *et marqua pour longtemps le rôle de son empreinte. Les interprètes modernes de Dorante ont pour noms Maurice Escande, Jean Weber, Julien Bertheau ou Jacques Toja. Du côté d'Arlequin, le créateur du rôle, Thomassin, de petite taille, agile et vif spécialisé dans les rôles de valet, en particulier celui d'Arlequin, domine l'interprétation. Il met en valeur l'aspect comique de son personnage par le brio de sa technique d'improvisation a l'italienne et sa très grande mobilité, tout en faisant la conquête*

1. Maurice Descotes, *Les Grands Rôles du théâtre de Marivaux*, PUF, 1972, p. 195.
2. Le personnage de Dorante était joué par Romagnesi ou Sticotti (cf. *Théâtre complet*, édition établie par Henri Coulet et Michel Gilot, t. I, Bibliothèque de la Pléiade, Gallimard, 1933, p. 611, n. 1).
3. J. Fournier et M. Bastide, *op. cit., ibid.*
4. M. Descotes, *op. cit.*, p. 87.

du public par son apparente simplicité, sa naïveté, le charme de ses manières. Thomassin, dit-on, est « le plus joli, le plus fin, le plus gracieux Arlequin[1] *». C'est un Arlequin qui joue de source. Il possède cette qualité tant prisée par les contemporains dans le jeu de la première Silvia, ce naturel fondé sur une parfaite maîtrise de l'art théâtral, que l'on retrouverait aujourd'hui chez Nicolas Delpeyrat. Le jeune valet du* Jeu *mis en scène par Jacques Kraemer en 1991*[2] *se révèle lui aussi un étonnant Arlequin, faussement malhabile et délicieusement malicieux.*

Aux sources du *Jeu*

Dans Le Jeu de l'amour et du hasard, *l'intrigue amoureuse est très simple au départ : il s'agit, comme dans bien d'autres pièces de Marivaux, de jeunes gens à marier. Pourtant, elle ne cesse de se compliquer, par le biais de déguisements successifs et symétriques grâce auxquels les maîtres jouent aux domestiques, et vice versa, afin de se connaître vraiment et d'éprouver mutuellement leurs cœurs et leur amour. Promise à Dorante sans le connaître, Silvia a imaginé avec l'accord de son père, Monsieur Orgon, de se déguiser en soubrette pour voir un peu quel est le mari qu'on lui destine. Ce dernier de son côté a conçu le même subterfuge et paraît devant sa fiancée sous un habit de valet. Dès lors. plus rien n'est simple. Les jeux de l'amour sont soumis aux caprices du hasard. Silvia se désespère d'aimer un domestique tandis que les valets se réjouissent de leur*

1. Boindin, *Lettres sur la nouvelle Comédie-Italienne,* Lettre I, p. 14 (cité par Frédéric Deloffre, *Une préciosité nouvelle. Marivaux et le marivaudage,* Armand Colin, 2ᵉ éd., 1967, p. 160).

2. Spectacle créé en novembre 1991 à la Comédie de Picardie, repris au Théâtre 13, en janvier 1993.

bonne fortune. Arlequin, déguisé en Dorante, se montre très empressé auprès d'une Lisette qui, sous l'habit de sa maîtresse, ne brûle que de consentir. Finalement, les stratagèmes se dévoilent. Les déguisements disparaissent et les masques tombent. Arlequin et Lisette en sont un peu pour leurs frais, mais Dorante et Silvia voient avec bonheur leurs sentiments se réconcilier avec leur rang. La raison l'emporte sur les jeux de miroir et le vertige des rôles qu'on échange, source de trouble pour les uns, de rire pour les autres.

Les commentateurs n'ont pas manqué de relever les nombreuses influences susceptibles d'avoir inspiré à Marivaux certains des thèmes et des personnages de sa pièce, à commencer par celui d'Arlequin. Comme le souligne Frédéric Deloffre, il s'agit en effet dans le Jeu *d'un Arlequin particulier, qui « ne joue pas sous sa figure habituelle*[1] *», mais sous des habits de gentilhomme. Or, pour cet Arlequin-là, il existe des sources très anciennes, qui remontent à la tradition du théâtre comique en France et en Italie, et même au-delà, aux auteurs grecs ou latins de l'Antiquité : Aristophane ou Plaute. Dans la tradition française, on peut citer Scarron,* Jodelet ou le valet maître, *Molière et* Les Précieuses ridicules, *sans omettre certaines scènes de* Dom Juan *et de* Scapin, *dans lesquelles le valet joue brièvement le rôle de son maître. Parmi les auteurs de l'ancien Théâtre-Italien, Jean-François Regnard utilise à plusieurs reprises la surenchère comique que représente Arlequin, devenu la caricature d'un petit marquis. Dans* L'Homme à bonnes fortunes *(1690) de Regnard, Arlequin apparaît ainsi comme le vicomte de Bergamotte, tandis que dans* Les Chinois *(1692), il est baron de la Dindonnière. Plus généralement, l'échange entre maîtres et valets est un thème en vogue dans le théâtre du*

1. Frédéric Deloffre, *Une préciosité nouvelle, Marivaux et le marivaudage, op. cit.*, p. 165.

XVIIIe siècle, notamment dans le Théâtre de la Foire, où l'on joue déjà en 1667 une comédie intitulée Arlequin gentilhomme supposé et duelliste malgré lui. *Dans une pièce de D'Orneval, représentée à la Foire Saint-Germain en 1716, sous le titre* Arlequin, gentilhomme malgré lui, *Léandre et Arlequin se font passer l'un pour l'autre. Arlequin est envoyé à la place de son maître chez le Docteur, père de sa future épouse, Isabelle. La comédie tourne à la farce quand Arlequin, qui a bu avant d'arriver, tend au Docteur un morceau de fromage au lieu de la lettre envoyée par le père de Léandre, avant de se mettre à lutiner avec ardeur la suivante de Madame. C'est d'ailleurs cet esprit « de Foire » ou de farce que les critiques du temps ont reproché à l'Arlequin du* Jeu, *car sans aller jusqu'aux vulgarités du valet chez d'Orneval, il n'en est parfois pas très éloigné et, dans le* Mercure *d'avril 1730, le rédacteur fait un portrait au noir de ce « butor » d'Arlequin, qui « ne soutient pas son caractère partout », et à « des choses très jolies » fait succéder « des grossièretés*[1] ».

Issu de la Foire et de la farce, l'échange des défroques sociales mis au service de l'intrigue amoureuse est en fait devenu l'une des situations dramatiques récurrentes des comédies du temps, et l'on peut citer toute une constellation de pièces qui précèdent de très près le Jeu *et traitent du même thème. On trouve des valets et des maîtres déguisés dans deux pièces de Marc-Antoine Legrand,* L'Épreuve réciproque *et* Le Galant Coureur, *jouées au Théâtre-Français en 1711 et 1722, de même que dans* Le Portrait *de Beauchamp, donné à la Comédie-Italienne en 1727, où la jeune fille fait passer pour elle sa soubrette Colombine. Une comédie de l'abbé Aunillon, abbé libertin de la Régence, intitulée* Les Amants déguisés *et représentée à la Comédie-Française en 1728, met en scène une*

1. Cf. supra, note 1, p. 9.

comtesse dont la suivante, Finette, va jouer le rôle, tandis que le valet Valentin se présentera sous les habits du marquis, c'est-à-dire de son prétendant. Cette pièce constitue la source la plus directe et la plus proche, quant à l'intrigue et l'esprit, du Jeu de l'amour et du hasard. *Chez Aunillon comme chez Marivaux, les deux candidats au mariage décident d'emblée de faire l'échange de leurs identités avec celles de leurs serviteurs respectifs afin de mieux se connaître. Ils s'éprennent l'un de l'autre sous leurs habits d'emprunt, se démasquent pour finir et découvrent que leur union forcée est en fait un mariage d'inclination. Comme le déclare Finette, en une conclusion qui pourrait presque être celle de la Lisette du* Jeu *: « Mais ils ont eu au moins cette obligation à leur déguisement d'être assurés du cœur l'un de l'autre. »*

Jeux de doubles et double jeu

À l'intérieur de son propre théâtre, Marivaux ne cesse de reprendre, de développer et d'approfondir l'heureuse formule des amants déguisés. On retrouve dans différentes pièces le thème du déguisement à travers la dissimulation de l'identité d'un personnage. Dans L'Épreuve, *Frontin doit essayer, sur l'ordre de son maître Lucidor, de séduire Angélique en se faisant passer pour un riche seigneur, afin de mettre le cœur de la jeune fille à l'essai et vérifier de la sorte qu'elle ne possède pas une âme intéressée. Dans* La Double Inconstance, *le Prince se fait passer pour un officier du Palais afin de pouvoir séduire sans trop l'effaroucher la jeune Silvia, qui cette fois est une jeune paysanne promise à Arlequin. Dans* Le Prince travesti, *le Prince de Léon se présente à la Princesse de Barcelone sous le nom de Lelio et le Roi de Castille comme son ambassadeur. Enfin, la fiancée de* La Fausse Suivante *change à la fois d'identité et de sexe et devient un temps, pour les besoins de son enquête amoureuse, Chevalier et séducteur. De même, Léonide, Princesse de Sparte, se métamorphose en un jeune garçon, Phocion, dans* Le Triomphe de l'amour, *afin de pénétrer dans le domaine interdit du philosophe Hermocrate et se faire aimer de son élève, Agis. Pourtant, dans toutes ces comédies qui précèdent ou suivent le* Jeu, *le travestissement des identités et des sexes ne concerne jamais qu'un seul des personnages, imité tout au plus par un ami, comme le Prince de Léon et le Roi de Castille dans* Le Prince travesti. *Il n'englobe pas la quasi-totalité des personnages, comme dans le* Jeu. *Surtout, il n'est pas réciproque.*

Plus qu'aucune des comédies du XVIIIe *siècle, davantage même que les autres pièces marivaudiennes, le* Jeu *est fondé sur un principe de déguisement et de dédoublement partout à l'œuvre dans la pièce. Quatre des personnages se travestissent et échangent leurs identités : Silvia et Lisette, Arlequin et Dorante. Deux autres, Monsieur Orgon et Mario, dissimulent une partie de la vérité, jouant ainsi un rôle. Le déguisement est partout, au propre comme au figuré. Tout le monde ment et se dédouble. Chacun porte un masque. D'où l'importance et la fréquence des apartés au sein des dialogues. Les personnages, principalement Silvia, assument soit une double personnalité, soit un double jeu. Silvia est aussi Lisette, Lisette est Silvia, Dorante le valet Bourguignon*[1] *et Arlequin Dorante. Chacun*

1. Détail intéressant : Dorante échange son rôle avec Arlequin, mais il prend un autre nom de valet, Bourguignon, qui indique nettement son origine française et provinciale. Voilà un valet qui vient, non plus d'Italie, de Bergame, mais de Bourgogne. Cette petite transgression dans l'ordre des déguisements réciproques est là sans doute pour permettre à Dorante de garder sa propre physionomie et ne pas séduire Silvia sous le masque et l'habit bariolé d'Arlequin. Ce serait une situation trop farcesque et proche du Théâtre de la Foire, où on la rencontre, sous une forme légèrement différente, dans *La Tête noire* de Lesage (1721).

est tantôt soi-même, tantôt un autre, selon le personnage qui lui donne la réplique ou selon qu'il est seul en scène. Le vertige est constant, pour le personnage qui parfois est bien près de s'y perdre lui-même, et pour les spectateurs qui suivent toutes les volte-face de ce tournoiement des identités. Par ailleurs, Monsieur Orgon et Mario ne restent pas non plus à l'extérieur de ce jeu des doubles. Monsieur Orgon est à la fois le meneur de l'intrigue et le faux naïf, tantôt l'un tantôt l'autre, selon qu'il est seul (et avec Mario) ou avec Silvia, Lisette ou Dorante. Pour Silvia et Lisette, il est le père indulgent qui accorde à sa fille un dernier caprice avant son mariage :

MONSIEUR ORGON

Eh bien, abuse, va, dans ce monde il faut être un peu trop bon pour l'être assez (I,2).

Pas un instant elles ne soupçonnent Monsieur Orgon d'en savoir davantage. Pourtant, dès cette deuxième scène de l'acte I, il est au courant de la supercherie inventée par son futur gendre : il entre en tenant à la main la lettre du père de Dorante, qui vient de l'en informer. Et peut-être s'apprêtait-il à la raconter à Silvia, quand celle-ci se met à son tour à rêver de déguisement. Le tournant de la scène, et d'une certaine façon de toute la pièce, est alors la réplique dans laquelle Monsieur Orgon, en un mélange d'apartés et de dialogue, réfléchit à la situation et décide, d'une part de dire oui à sa fille, de taire par ailleurs le projet de Dorante :

MONSIEUR ORGON, *à part.*

Son idée est plaisante. *Haut.* Laisse-moi rêver un peu à ce que tu me dis là. *À part.* Si je la laisse faire, il doit arriver quelque chose de bien singulier, elle ne s'y attend pas elle-même... *Haut.* Soit, ma fille, je te permets le déguisement. Es-tu bien sûre de soutenir le tien, Lisette ?

Dès ce moment, les jeux sont faits. Silvia est engagée dans une comédie, qui pourrait bien avoir pour titre La Surprise de l'amour *(comme le dit son père : « elle ne s'y attend pas elle-même »), dont elle sortira victorieuse, non pas indemne. Son père, quant à lui, a décidé de mener à bien cette aventure, dont il restera de bout en bout le maître avec l'aide et la complicité de son fils Mario, auquel il va tout révéler dans la scène suivante, à condition bien sûr qu'il lui garde le secret :*

MARIO

Qu'y a-t-il de nouveau, Monsieur ?

MONSIEUR ORGON

Je commence par vous recommander d'être discret sur ce que je vais vous dire, au moins.

MARIO

Je suivrai vos ordres.

MONSIEUR ORGON

Nous verrons Dorante aujourd'hui ; mais nous ne le verrons que déguisé.

MARIO

Déguisé ! viendra-t-il en partie de masque, lui donnerez-vous le bal ?

MONSIEUR ORGON

Écoutez l'article de la lettre du père...

Monsieur Orgon se met alors à citer de longs extraits de la lettre envoyée par le père de Dorante qui, pour être absent, n'en est pas moins lui aussi meneur de jeu : ne révèle-t-il pas à Monsieur Orgon le stratagème de son propre fils, en dépit de la demande que lui a faite celui-ci de garder ses intentions secrètes ? Ne provoque-t-il pas ainsi toute l'ambiguïté d'un Jeu *dès lors dédoublé, non plus seulement selon des changements de rôles, mais selon des niveaux de savoir différents ? Dans le théâtre de Marivaux, on peut accéder aux fantaisies de ses enfants à la condition toutefois d'en rester les maîtres, c'est-à-dire les seuls détenteurs des règles complexes et raffinées qui régissent la partie en train de se jouer.*

Lorsque Monsieur Orgon expose à Mario le contenu de la lettre ainsi que la ruse de sa sœur, il le fait entrer dans le camp de ceux qui savent et qui regardent jouer les autres dans le Jeu. *En même temps, il y fait pénétrer les spectateurs, faux confidents et vrais complices de cette expérience inédite. Les spectateurs auront durant toute la pièce, à l'instar du père et du fils, un point de vue général sur le déroulement des événements, celui de Dieu ou de l'expérimentateur : comme dans* La Dispute, *le Père et le Prince se livrent en effet à une expérimentation subtile et quelque peu cruelle, qui devient, pour eux et pour le public, l'objet même du spectacle qu'ils se donnent. Comme le dit Silvia à la scène 6 de l'acte I, en parlant de ses père et frère, « ils se donnent la comédie ». Monsieur Orgon et Mario se « divertissent » (le terme revient à plusieurs reprises dans la pièce) en s'offrant à domicile le spectacle des élans contrariés des cœurs et des corps.*

L'éducation marivaudienne

À travers les épreuves de la comédie, les jeunes gens du théâtre marivaudien reçoivent souvent une double leçon : sociale et sentimentale. Sociale pour commencer. Certes, Le Jeu de l'amour et du hasard *est une comédie de l'amour et ne se range pas dans la même catégorie que* L'Île des esclaves, L'Ile de la raison *ou encore* La Nouvelle Colonie, *qui traitent d'un thème de société. Pourtant, l'échange des rôles entre maîtres et domestiques conduit à une inversion de la hiérarchie des classes, qui donne nécessairement à réfléchir et confère au* Jeu *un caractère critique en même temps que ludique et sentimental. À l'instar du Carnaval médiéval*[1], *la comédie du* XVIII*e siècle permet au valet de devenir seigneur, tandis que ce dernier se retrouve au bas d'une échelle sociale bouleversée. Pour quelques heures seulement : à la fin bien sûr, l'ordre sera restauré et chaque rôle retrouvé. Cette certitude est là, qui autorise tous les risques, tous les vertiges, toutes les leçons aussi. De même que dans* L'Île des esclaves, *Arlequin prend la place de son maître Iphicrate et profite de la situation pour lui faire connaître quelques vérités bien senties au sujet de la dure condition de valet, Silvia et Dorante doivent tous deux apprendre, lorsqu'ils ont revêtu leurs nouvelles livrées, à se passer des égards auxquels ils sont habitués. Ils reçoivent ainsi une leçon parfois peu agréable sur l'humiliation inhérente à l'état de domestique. Et c'est le plus souvent Mario, qui pour se divertir et amuser son père, se charge de cette nouvelle éducation :*

MARIO

Fort bien! mais il me semble que ce nom de Mademoiselle qu'il te donne est bien sérieux, entre gens comme vous, le style des compliments ne doit pas

1. Le titre choisi par Marivaux rappelle d'ailleurs le théâtre médiéval et la fantaisie de ses Jeux profanes (par exemple, *Le Jeu de la feuillée* ou *Le Jeu de Robin et Marion* d'Adam de la Halle).

être si grave, vous seriez toujours sur le qui-vive ; allons traitez-vous plus commodément, tu as nom Lisette, et toi mon garçon, comment t'appelles-tu ?

DORANTE

Bourguignon, Monsieur, pour vous servir.

SILVIA

Eh bien, Bourguignon, soit !

DORANTE

Va donc pour Lisette, je n'en serai pas moins votre serviteur.

MARIO

Votre serviteur, ce n'est point encore là votre jargon, c'est ton serviteur qu'il faut dire (I,5).

Mario apprend à sa sœur et à son futur beau-frère à manier, non plus le langage des maîtres mais le « jargon » des vrais domestiques, qui ne se disent pas les « serviteurs » des autres et se tutoient familièrement. À l'inverse, Dorante essaiera en vain, deux scènes plus loin, d'inculquer à ce « butor » d'Arlequin quelques rudiments de beau langage, afin qu'il tienne mieux son nouveau rôle :

ARLEQUIN

Eh bien, Monsieur, mon commencement va bien, je plais déjà à la soubrette.

DORANTE

Butor que tu es !

ARLEQUIN

Pourquoi donc, mon entrée est si gentille !

DORANTE

Tu m'avais tant promis de laisser là tes façons de parler sottes et triviales, je t'avais donné de si bonnes instructions, je ne t'avais recommandé que d'être sérieux (I,8)...

Si l'on peut toujours déguiser l'apparence, il demeure bien difficile de s'approprier les manières et surtout le parler de l'être social que l'on s'ingénie à copier. Car dans toute pièce de Marivaux, il y a, au commencement, le langage, le verbe. Se déguiser, pour les héros du Jeu, *c'est affronter d'emblée l'épreuve des mots et de la syntaxe, de même qu'aborder l'amour, ce sera travailler sur le subtil agencement des phrases et des rythmes, la très savante ambiguïté du lexique, des métaphores, des registres de langue. Bref, endurer puis dépasser une ignorance fondamentale, énoncée par la Comtesse de* La Fausse Suivante : « *Je ne savais pas la différence entre connaître et sentir* »...

Maîtres et valets l'apprennent à leurs dépens, même si la leçon ne porte pas dans les deux cas de la même façon, et ne sert pas le même but dans la comédie. Pour les maîtres, la leçon est avant tout morale et sentimentale. Silvia, malgré toutes ses illusions, voit son amour-propre mis à mal, comme le lui avait prédit Mario :

SILVIA

... À l'égard de son valet, je ne crains pas ses soupirs, ils n'oseront m'aborder, il y aura quelque chose dans ma physionomie qui inspirera plus de respect que d'amour à ce faquin-là.

MARIO

Allons doucement, ma sœur, ce faquin-là sera votre égal (I,4).

Pire, son cœur lui-même et ses sentiments entrent en conflit avec sa raison et son orgueil dès qu'elle rencontre Dorante et croit ainsi tomber amoureuse d'un valet. « Ah, que j'ai le cœur serré ! » s'exclame-t-elle, avant de s'écrier avec soulagement, lorsque Dorante lui révèle sa véritable identité : « Ah ! je vois clair dans mon cœur » (II,12). Pour Silvia, l'initiation amoureuse a eu lieu. Ayant appris à se connaître elle-même, elle est sûre désormais de son choix et de son destin. Elle est prête à accepter ce « mari » qui, dans la première scène de la pièce, la faisait frémir lorsqu'elle déclarait à Lisette : « Cela est terrible, qu'en dis-tu ? songe à ce que c'est qu'un mari »...

En ce qui concerne les valets, leur apprentissage est déjà fait, tant sur le plan des sentiments que de la société. Ils connaissent la règle du jeu. Comme le déclare Frontin, le valet du Petit-Maître corrigé, « *quand nos maîtres passent par le mariage, nous autres, nous quittons le célibat ; le maître épouse la maîtresse, et nous la suivante ; c'est encore la règle.* » *Pour Lisette, « un mari ? c'est un mari » : ce mot-là la « raccommode avec tout le reste ». Valets et soubrettes n'ont plus grand-chose à découvrir, si ce n'est qu'il demeure, en tout état de cause, décidément impossible de passer du rang de valet à celui de maître, fût-ce en épousant au-dessus de sa condition. Ils démontrent en fait plus qu'ils n'apprennent eux-mêmes. À travers la caricature de Dorante que l'Arlequin déguisé du* Jeu *dessine à gros traits sur la scène du théâtre, c'est la satire des maîtres que découvre le spectateur. Tout en ne parvenant pas à effacer le valet sous l'habit du gentilhomme ou du bourgeois, Arlequin met au jour, par sa maladresse, sa gaucherie, son incapacité même à devenir ce qu'il ne saurait être, les ridicules et les travers du bourgeois ou du gentilhomme. Maître imparfait, Arlequin donne à voir l'imperfection des maîtres, et ce jusqu'à l'insolence :*

DORANTE

Monsieur, pourrais-je vous entretenir un moment?

ARLEQUIN

Non : maudite soit la valetaille qui ne saurait nous laisser en repos! (II,4.)

Sans être jamais dépassées, les limites de l'échange des rôles sont parfois frôlées, avec autant de délices que de malice. Comme l'écrit Bernard Dort, « le théâtre de Marivaux reflète ainsi l'image d'une société immobile, suspendue entre le passé et l'avenir et pourtant animée d'une infinité de mouvements internes, d'une société qui refuse le changement mais qui veut jouir, une dernière fois peut-être, de ses virtualités multiples et contradictoires [1] *».*

Plus qu'un théâtre de nuances ou de demi-teintes, comme on l'a souvent dit, l'univers de la comédie marivaudienne apparaît comme un théâtre de l'ambiguïté. Un théâtre ou l'on joue et où l'on jouit de tout, tout en ne cessant de retenir son souffle, de s'effarer et de s'effaroucher, de s'interroger, de se défier, de s'éprouver. L'épreuve, la surprise, ou le jeu, quel que soit le

1. Bernard Dort, « A la recherche de l'amour et de la vérité. Esquisse d'un système marivaudien », postface à l'édition du *Théâtre de Marivaux*, au Club français du Livre, 1961-1962. Repris dans *Théâtre public 1953-1966*, Seuil, 1967, p. 67.

terme employé, se prolonge alors jusqu'à la toute dernière résistance des personnages, explorant une à une toutes les étapes d'un parcours du doute. Après que Silvia en a fini avec sa propre épreuve à la fin du deuxième acte, Dorante doit encore subir l'agonie d'un troisième acte qui le conduit à revendiquer la jeune fille pour femme en dépit de tout, rang social, rivaux jaloux, pères indignés. Quelques répliques (III,9) suffisent ensuite à le détromper et démasquer Silvia, à célébrer le triomphe de leur amour tandis qu'Arlequin s'efforce de clore la comédie d'une pirouette : « Allons saute Marquis[1] *! » Comme si la joie, pourtant, n'allait pas de soi.*

Catherine Naugrette-Christophe.

1. L'expression est tirée du monologue du Marquis, dans *Le Joueur* (1696) de Regnard, IV, 10.

Le Jeu de l'amour et du hasard

PERSONNAGES

MONSIEUR ORGON.
MARIO.
SILVIA.
DORANTE.
LISETTE, *femme de chambre de Silvia.*
ARLEQUIN, *valet de Dorante.*
UN LAQUAIS.

La scène est à Paris.

ACTE PREMIER

SCÈNE PREMIÈRE

SILVIA, LISETTE.

SILVIA

Mais encore une fois, de quoi vous mêlez-vous, pourquoi répondre [1] de mes sentiments ?

LISETTE

C'est que j'ai cru que dans cette occasion-ci, vos sentiments ressembleraient à ceux de tout le monde ; Monsieur votre père me demande si vous êtes bien aise qu'il vous marie, si vous en avez quelque joie ; moi je lui réponds qu'oui ; cela va tout de suite ; et il n'y a peut-être que vous de fille au monde, pour qui ce *oui*-là ne soit pas vrai, le *non* n'est pas naturel.

SILVIA

Le *non* n'est pas naturel ; quelle sotte naïveté ! le mariage aurait donc de grands charmes pour vous ?

LISETTE

Eh bien, c'est encore *oui*, par exemple.

SILVIA

Taisez-vous, allez répondre vos impertinences ailleurs, et sachez que ce n'est pas à vous à juger de mon cœur par le vôtre.

LISETTE

Mon cœur est fait comme celui de tout le monde ; de quoi le vôtre s'avise-t-il de n'être fait comme celui de personne ?

SILVIA

Je vous dis que si elle osait, elle m'appellerait une originale[2].

LISETTE

Si j'étais votre égale, nous verrions.

SILVIA

Vous travaillez à me fâcher, Lisette.

LISETTE

Ce n'est pas mon dessein ; mais dans le fond voyons, quel mal ai-je fait de dire à Monsieur Orgon, que vous étiez bien aise d'être mariée ?

SILVIA

Premièrement, c'est que tu n'as pas dit vrai, je ne m'ennuie pas d'être fille.

LISETTE

Cela est encore tout neuf.

SILVIA

C'est qu'il n'est pas nécessaire que mon père croie me faire tant de plaisir en me mariant, parce que cela le fait agir avec une confiance qui ne servira peut-être de rien.

LISETTE

Quoi, vous n'épouserez pas celui qu'il vous destine ?

SILVIA

Que sais-je ; peut-être ne me conviendra-t-il point, et cela m'inquiète.

LISETTE

On dit que votre futur est un des plus honnêtes du monde, qu'il est bien fait, aimable, de bonne mine, qu'on ne peut pas avoir plus d'esprit, qu'on ne saurait être d'un meilleur caractère ; que voulez-vous de plus ? Peut-on se figurer de mariage plus doux ? d'union plus délicieuse ?

SILVIA

Délicieuse ! que tu es folle avec tes expressions !

LISETTE

Ma foi, Madame, c'est qu'il est heureux qu'un amant[3] de cette espèce-là, veuille se marier dans les formes ; il n'y a presque point de fille, s'il lui faisait la cour, qui ne fût en danger de l'épouser sans cérémonie; aimable, bien fait, voilà de quoi vivre pour l'amour[4], sociable et spirituel, voilà pour l'entretien de la société[5] : pardi, tout en sera bon dans cet homme-là, l'utile et l'agréable, tout s'y trouve.

SILVIA

Oui dans le portrait que tu en fais, et on dit qu'il y ressemble, mais c'est un, *on dit,* et je pourrais bien n'être pas de ce sentiment-là, moi; il est bel homme, dit-on, et c'est presque tant pis.

LISETTE

Tant pis, tant pis, mais voilà une pensée bien hétéroclite[6] !

SILVIA

C'est une pensée de très bon sens; volontiers un bel homme est fat, je l'ai remarqué.

LISETTE

Oh, il a tort d'être fat; mais il a raison d'être beau.

SILVIA

On ajoute qu'il est bien fait; passe.

LISETTE

Oui-da, cela est pardonnable.

SILVIA

De beauté, et de bonne mine je l'en dispense, ce sont là des agréments superflus.

LISETTE

Vertuchoux[7] ! si je me marie jamais, ce superflu-là sera mon nécessaire.

SILVIA

Tu ne sais ce que tu dis ; dans le mariage, on a plus souvent affaire à l'homme raisonnable, qu'à l'aimable homme : en un mot, je ne lui demande qu'un bon caractère, et cela est plus difficile à trouver qu'on ne pense ; on loue beaucoup le sien, mais qui est-ce qui a vécu avec lui ? les hommes ne se contrefont-ils pas ? surtout quand ils ont de l'esprit, n'en ai-je pas vu moi, qui paraissaient, avec leurs amis, les meilleures gens du monde ? c'est la douceur, la raison, l'enjouement même, il n'y a pas jusqu'à leur physionomie qui ne soit garante de toutes les bonnes qualités qu'on leur trouve. Monsieur un tel a l'air d'un galant homme[8], d'un homme bien raisonnable, disait-on tous les jours d'Ergaste : aussi l'est-il, répondait-on, je l'ai répondu moi-même, sa physionomie ne vous ment pas d'un mot ; oui, fiez-vous-y à cette physionomie si douce, si prévenante, qui disparaît un quart d'heure après pour faire place à un visage sombre, brutal[9], farouche qui devient l'effroi de toute une maison. Ergaste s'est marié, sa femme, ses enfants, son domestique ne lui connaissent encore que ce visage-là, pendant qu'il promène partout ailleurs cette physionomie si aimable que nous lui voyons, et qui n'est qu'un masque qu'il prend au sortir de chez lui.

LISETTE

Quel fantasque[10] avec ces deux visages !

SILVIA

N'est-on pas content de Léandre quand on le voit? Eh bien chez lui, c'est un homme qui ne dit mot, qui ne rit, ni qui ne gronde; c'est une âme glacée, solitaire, incaccessible; sa femme ne la connaît point, n'a point de commerce avec elle, elle n'est mariée qu'avec une figure [11] qui sort d'un cabinet, qui vient à table, et qui fait expirer de langueur, de froid et d'ennui tout ce qui l'environne; n'est-ce pas là un mari bien amusant?

LISETTE

Je gèle au récit que vous m'en faites; mais Tersandre, par exemple?

SILVIA

Oui, Tersandre! il venait l'autre jour de s'emporter contre sa femme, j'arrive, on m'annonce, je vois un homme qui vient à moi les bras ouverts, d'un air serein, dégagé, vous auriez dit qu'il sortait de la conversation la plus badine; sa bouche et ses yeux riaient encore; le fourbe! Voilà ce que c'est que les hommes, qui est-ce qui croit que sa femme est à plaindre avec lui? je la trouvai toute [12] abattue, le teint plombé, avec des yeux qui venaient de pleurer, je la trouvai, comme je serai peut-être, voilà mon portrait à venir, je vais du moins risquer d'en être une copie; elle me fit pitié, Lisette : si j'allais te faire pitié aussi : cela est terrible, qu'en dis-tu? songe à ce que c'est qu'un mari.

LISETTE

Un mari? c'est un mari; vous ne deviez pas finir par ce mot-là, il me raccommode avec tout le reste.

SCÈNE 2

MONSIEUR ORGON, SILVIA, LISETTE

MONSIEUR ORGON

Eh bonjour, ma fille. La nouvelle que je viens t'annoncer te fera-t-elle plaisir ? ton prétendu [13] arrive aujourd'hui, son père me l'apprend par cette lettre-ci ; tu ne me réponds rien, tu me parais triste ? Lisette de son côté baisse les yeux, qu'est-ce que cela signifie ? parle donc toi, de quoi s'agit-il ?

LISETTE

Monsieur, un visage qui fait trembler, un autre qui fait mourir de froid, une âme gelée qui se tient à l'écart, et puis le portrait d'une femme qui a le visage abattu, un teint plombé, des yeux bouffis, et qui viennent de pleurer ; voilà Monsieur, tout ce que nous considérons avec tant de recueillement.

MONSIEUR ORGON

Que veut dire ce galimatias ? une âme, un portrait : explique-toi donc ! je n'y entends rien.

SILVIA

C'est que j'entretenais Lisette du malheur d'une femme maltraitée par son mari, je lui citais celle de Tersandre que je trouvai l'autre jour fort abattue, parce que son mari venait de la quereller, et je faisais là-dessus mes réflexions.

LISETTE

Oui, nous parlions d'une physionomie qui va et qui vient, nous disions qu'un mari porte un masque avec le monde, et une grimace avec sa femme.

MONSIEUR ORGON

De tout cela, ma fille, je comprends que le mariage t'alarme, d'autant plus que tu ne connais point Dorante.

LISETTE

Premièrement, il est beau, et c'est presque tant pis.

MONSIEUR ORGON

Tant pis ! rêves-tu avec ton tant pis ?

LISETTE

Moi, je dis ce qu'on m'apprend ; c'est la doctrine de Madame, j'étudie sous elle.

MONSIEUR ORGON

Allons, allons, il n'est pas question de tout cela, tiens, ma chère enfant, tu sais combien je t'aime. Dorante vient pour t'épouser ; dans le dernier voyage que je fis en province, j'arrêtai ce mariage-là avec son père, qui est mon intime et mon ancien ami, mais ce fut à condition que vous vous plairiez à tous deux, et que vous auriez entière liberté de vous expliquer là-dessus ; je te défends toute complaisance à mon égard, si Dorante ne te convient point, tu n'as qu'à le dire, et il repart ; si tu ne lui convenais pas, il repart de même.

LISETTE

Un *duo* de tendresse en décidera comme à l'Opéra ; vous me voulez, je vous veux, vite un notaire ; ou bien m'aimez-vous, non, ni moi non plus, vite à cheval.

MONSIEUR ORGON

Pour moi je n'ai jamais vu Dorante, il était absent quand j'étais chez son père ; mais sur tout le bien qu'on m'en a dit, je ne saurais craindre que vous vous remerciiez [14] ni l'un ni l'autre.

SILVIA

Je suis pénétrée de vos bontés, mon père, vous me défendez toute complaisance, et je vous obéirai.

MONSIEUR ORGON

Je te l'ordonne.

SILVIA

Mais si j'osais, je vous proposerais sur une idée qui me vient, de m'accorder une grâce qui me tranquilliserait tout à fait.

MONSIEUR ORGON

Parle, si la chose est faisable je te l'accorde.

SILVIA

Elle est très faisable ; mais je crains que ce ne soit abuser de vos bontés.

MONSIEUR ORGON

Eh bien, abuse, va, dans ce monde il faut être un peu trop bon pour l'être assez.

LISETTE

Il n'y a que le meilleur de tous les hommes qui puisse dire cela.

MONSIEUR ORGON

Explique-toi, ma fille.

SILVIA

Dorante arrive ici aujourd'hui, si je pouvais le voir, l'examiner un peu sans qu'il me connût ; Lisette a de l'esprit, Monsieur, elle pourrait prendre ma place pour un peu de temps, et je prendrais la sienne.

MONSIEUR ORGON, *à part.*

Son idée est plaisante. *Haut.* Laisse-moi rêver[15] un peu à ce que tu me dis là. *À part.* Si je la laisse faire, il doit arriver quelque chose de bien singulier, elle ne s'y attend pas elle-même... *Haut.* Soit, ma fille, je te permets le déguisement. Es-tu bien sûre de soutenir le tien, Lisette ?

LISETTE

Moi, Monsieur, vous savez qui je suis, essayez de m'en conter, et manquez de respect, si vous l'osez ; à cette contenance-ci, voilà un échantillon des bons airs avec lesquels je vous attends, qu'en dites-vous ? hem, retrouvez-vous Lisette ?

MONSIEUR ORGON

Comment donc, je m'y trompe actuellement moi-même ; mais il n'y a point de temps à perdre, va t'ajuster suivant ton rôle, Dorante peut nous surprendre, hâtez-vous, et qu'on donne le mot à toute la maison.

SILVIA

Il ne me faut presque qu'un tablier.

LISETTE

Et moi je vais à ma toilette, venez m'y coiffer, Lisette, pour vous accoutumer à vos fonctions ; un peu d'attention à votre service, s'il vous plaît.

SILVIA

Vous serez contente, Marquise, marchons.

SCÈNE 3

MARIO, MONSIEUR ORGON, SILVIA

MARIO

Ma sœur, je te félicite de la nouvelle que j'apprends ; nous allons voir ton amant, dit-on.

SILVIA

Oui, mon frère ; mais je n'ai pas le temps de m'arrêter, j'ai des affaires sérieuses, et mon père vous les dira, je vous quitte [16]

MONSIEUR ORGON

Ne l'amusez pas [17], Mario, venez vous saurez de quoi il s'agit.

MARIO

Qu'y a-t-il de nouveau, Monsieur ?

MONSIEUR ORGON

Je commence par vous recommander d'être discret sur ce que je vais vous dire au moins.

MARIO

Je suivrai vos ordres.

MONSIEUR ORGON

Nous verrons Dorante aujourd'hui ; mais nous ne le verrons que déguisé.

MARIO

Déguisé ! viendra-t-il en partie de masque[18], lui donnerez-vous le bal ?

MONSIEUR ORGON

Écoutez l'article[19] de la lettre du père. Hum... « Je ne sais au reste ce que vous penserez d'une imagination[20] qui est venue à mon fils ; elle est bizarre, il en convient lui-même, mais le motif en est pardonnable et même délicat ; c'est qu'il m'a prié de lui permettre de n'arriver d'abord chez vous que sous la figure de son valet, qui de son côté fera le personnage de son maître. »

MARIO

Ah, ah ! cela sera plaisant.

MONSIEUR ORGON

Écoutez le reste... « Mon fils sait combien l'engagement qu'il va prendre est sérieux, et il espère, dit-il, sous ce déguisement de peu de durée saisir quelques traits du caractère de notre future[21] et la mieux connaître, pour se régler[22] ensuite sur ce qu'il doit faire, suivant la liberté que nous sommes convenus de leur laisser. Pour moi, qui m'en fie bien à ce que vous m'avez dit de votre aimable fille, j'ai consenti à tout en prenant la précaution de vous avertir, quoiqu'il m'ait demandé le secret de votre côté[23] ; vous en userez là-dessus avec la future comme vous le jugerez à propos... » Voilà ce que le père m'écrit. Ce n'est pas le tout, voici ce qui arrive ; c'est que votre sœur inquiète de son côté sur le chapitre de Dorante, dont elle ignore le secret, m'a demandé de jouer ici la même comédie, et cela précisément pour observer Dorante, comme Dorante veut l'observer, qu'en dites-vous ? Savez-vous[24] rien de plus particulier[25] que cela ? Actuellement, la maîtresse et la suivante se travestissent. Que me conseillez-vous, Mario ? Avertirai-je votre sœur ou non ?

MARIO

Ma foi, Monsieur, puisque les choses prennent ce train-là, je ne voudrais pas les déranger, et je respecterais l'idée qui leur est inspirée[26] à l'un et à l'autre ; il faudra bien qu'ils se parlent souvent tous deux sous ce déguisement, voyons si leur cœur ne les avertirait pas de ce qu'ils valent. Peut-être que Dorante prendra du goût pour ma sœur, toute soubrette qu'elle sera, et cela serait charmant pour elle.

MONSIEUR ORGON

Nous verrons un peu comment elle se tirera d'intrigue

MARIO

C'est une aventure qui ne saurait manquer de nous divertir, je veux me trouver au début, et les agacer tous deux.

SCÈNE 4

SILVIA, MONSIEUR ORGON, MARIO

SILVIA

Me voilà, Monsieur, ai-je mauvaise grâce en femme de chambre; et vous, mon frère, vous savez de quoi il s'agit apparemment, comment me trouvez-vous?

MARIO

Ma foi, ma sœur, c'est autant de pris[27] que le valet; mais tu pourrais bien aussi escamoter Dorante à ta maîtresse.

SILVIA

Franchement, je ne haïrais pas de lui plaire sous le personnage que je joue, je ne serais pas fâchée de subjuguer sa raison, de l'étourdir[28] un peu sur la distance qu'il y aura de lui à moi; si mes charmes font ce coup-là, ils me feront plaisir, je les estimerai, d'ailleurs cela m'aiderait à démêler[29] Dorante. À l'égard de son valet, je ne crains pas ses soupirs, ils n'oseront m'aborder, il y aura quelque chose dans ma physionomie qui inspirera plus de respect que d'amour à ce faquin-là.

MARIO

Allons doucement, ma sœur, ce faquin-là sera votre égal.

MONSIEUR ORGON

Et ne manquera pas de t'aimer.

SILVIA

Eh bien, l'honneur de lui plaire ne me sera pas inutile ; les valets sont naturellement indiscrets, l'amour est babillard, et j'en ferai l'historien [30] de son maître.

UN VALET

Monsieur, il vient d'arriver un domestique qui demande à vous parler, il est suivi d'un crocheteur [31] qui porte une valise.

MONSIEUR ORGON

Qu'il entre : c'est sans doute le valet de Dorante ; son maître peut être resté au bureau [32] pour affaires. Où est Lisette ?

SILVIA

Lisette s'habille, et dans son miroir, nous trouve très imprudents de lui livrer Dorante, elle aura bientôt fait.

MONSIEUR ORGON

Doucement, on vient.

SCÈNE 5

DORANTE, *en valet*,
MONSIEUR ORGON, SILVIA, MARIO

DORANTE

Je cherche Monsieur Orgon, n'est-ce pas à lui à qui j'ai l'honneur de faire la révérence?

MONSIEUR ORGON

Oui, mon ami, c'est à lui-même.

DORANTE

Monsieur, vous avez sans doute reçu de nos nouvelles, j'appartiens à Monsieur Dorante, qui me suit, et qui m'envoie toujours devant[33] vous assurer de ses respects, en attendant qu'il vous en assure lui-même.

MONSIEUR ORGON

Tu fais ta commission de fort bonne grâce; Lisette, que dis-tu de ce garçon-là?

SILVIA

Moi, Monsieur, je dis qu'il est bienvenu, et qu'il promet.

DORANTE

Vous avez bien de la bonté, je fais du mieux qu'il m'est possible.

MARIO

Il n'est pas mal tourné au moins, ton cœur n'a qu'à se bien tenir, Lisette.

SILVIA

Mon cœur, c'est bien des affaires[34].

DORANTE

Ne vous fâchez pas. Mademoiselle, ce que dit Monsieur ne m'en fait point accroire[35].

SILVIA

Cette modestie-là me plaît, continuez de même.

MARIO

Fort bien! mais il me semble que ce nom de Mademoiselle qu'il te donne est bien sérieux, entre gens comme vous, le style des compliments ne doit pas être si grave, vous seriez toujours sur le qui-vive; allons traitez-vous plus commodément, tu as nom Lisette, et toi mon garçon, comment t'appelles-tu?

DORANTE

Bourguignon[36], Monsieur, pour vous servir.

SILVIA

Eh bien, Bourguignon, soit!

DORANTE

Va donc pour Lisette, je n'en serai pas moins votre serviteur.

MARIO

Votre serviteur, ce n'est point encore là votre jargon, c'est ton serviteur qu'il faut dire.

MONSIEUR ORGON

Ah, ah, ah, ah !

SILVIA, *bas à Mario.*

Vous me jouez[37], mon frère.

DORANTE

À l'égard du tutoiement, j'attends les ordres de Lisette.

SILVIA

Fais comme tu voudras, Bourguignon, voilà la glace rompue, puisque cela divertit ces Messieurs.

DORANTE

Je t'en remercie, Lisette, et je réponds sur-le-champ à l'honneur que tu me fais.

MONSIEUR ORGON

Courage, mes enfants, si vous commencez à vous aimer, vous voilà débarrassés des cérémonies.

MARIO

Oh, doucement, s'aimer, c'est une autre affaire ; vous ne savez peut-être pas que j'en veux au cœur de Lisette, moi qui vous parle, il est vrai qu'il m'est cruel, mais je ne veux pas que Bourguignon aille sur mes brisées[38].

SILVIA

Oui, le prenez-vous sur ce ton-là, et moi je veux que Bourguignon m'aime.

DORANTE

Tu te fais tort de dire je veux, belle Lisette, tu n'as pas besoin d'ordonner pour être servie.

MARIO

Mons[39] Bourguignon, vous avez pillé cete galanterie-là quelque part.

DORANTF

Vous avez raison Monsieur, c'est dans ses yeux que je l'ai prise.

MARIO

Tais-toi, c'est encore pis, je te défends d'avoir tant d'esprit.

SILVIA

Il ne l'a pas à vos dépens, et s'il en trouve dans mes yeux, il n'a qu'à prendre.

MONSIEUR ORGON

Mon fils, vous perdrez votre procès, retirons-nous, Dorante va venir, allons le dire à ma fille; et vous Lisette montrez à ce garçon l'appartement de son maître; adieu, Bourguignon.

DORANTE

Monsieur vous me faites trop d'honneur.

SCÈNE 6

SILVIA, DORANTE

SILVIA, *à part.*

Ils se donnent la comédie, n'importe, mettons tout à profit, ce garçon-ci n'est pas sot, et je ne plains pas la soubrette qui l'aura ; il va m'en conter[40], laissons-le dire pourvu qu'il m'instruise.

DORANTE, *à part.*

Cette fille-ci m'étonne, il n'y a point de femme au monde à qui sa physionomie ne fît honneur, lions connaissance avec elle... *Haut.* Puisque nous sommes dans le style amical et que nous avons abjuré les façons, dis-moi, Lisette, ta maîtresse te vaut-elle ? elle est bien hardie d'oser avoir une femme de chambre comme toi.

SILVIA

Bourguignon, cette question-là m'annonce que suivant la coutume, tu arrives avec l'intention de me dire des douceurs, n'est-il pas vrai ?

DORANTE

Ma foi, je n'étais pas venu dans ce dessein-là, je te l'avoue ; tout valet que je suis, je n'ai jamais eu de grande liaison avec les soubrettes, je n'aime pas l'esprit domestique ; mais à ton égard c'est une autre affaire ; comment donc, tu me soumets, je suis presque timide, ma familiarité n'oserait s'apprivoiser avec toi, j'ai toujours envie d'ôter mon chapeau de dessus ma tête, et quand je te tutoie, il me semble que je jure ; enfin j'ai un penchant à te traiter avec des respects qui te feraient rire. Quelle espèce de Suivante es-tu donc avec ton air de Princesse ?

SILVIA

Tiens, tout ce que tu dis avoir senti en me voyant, est précisément l'histoire de tous les valets qui m'ont vue.

DORANTE

Ma foi, je ne serais pas surpris quand ce serait aussi l'histoire de tous les maîtres.

SILVIA

Le trait[41] est joli assurément ; mais je te le répète encore, je ne suis pas faite[42] aux cajoleries de ceux dont la garde-robe[43] ressemble à la tienne.

DORANTE

C'est-à-dire que ma parure ne te plaît pas ?

SILVIA

Non, Bourguignon ; laissons là l'amour, et soyons bons amis.

DORANTE

Rien que cela : ton petit traité n'est composé que de deux clauses impossibles.

SILVIA, *à part.*

Quel homme pour un valet ! *Haut.* Il faut pourtant qu'il s'exécute ; on m'a prédit que je n'épouserai jamais qu'un homme de condition[44], et j'ai juré depuis de n'en écouter jamais d'autres.

DORANTE

Parbleu, cela est plaisant, ce que tu as juré pour homme, je l'ai juré pour femme moi, j'ai fait serment de n'aimer sérieusement qu'une fille de condition.

SILVIA

Ne t'écarte donc pas de ton projet.

DORANTE

Je ne m'en écarte peut-être pas tant que nous le croyons, tu as l'air bien distingué, et l'on est quelquefois fille de condition sans le savoir.

SILVIA

Ah, ah, ah, je te remercierais de ton éloge si ma mère n'en faisait pas les frais.

DORANTE

Eh bien venge-t'en sur la mienne si tu me trouves assez bonne mine pour cela.

SILVIA, *à part.*

Il le mériterait. *Haut.* Mais ce n'est pas là de quoi il est question ; trêve de badinage, c'est un homme de condition qui m'est prédit pour époux, et je n'en rabattrai rien.

DORANTE

Parbleu, si j'étais tel, la prédiction me menacerait, j'aurais peur de la vérifier[45] ; je n'ai point de foi à l'astrologie, mais j'en ai beaucoup à ton visage.

SILVIA, *à part.*

Il ne tarit point... *Haut.* Finiras-tu, que t'importe la prédiction puisqu'elle t'exclut ?

DORANTE

Elle n'a pas prédit que je ne t'aimerais point.

SILVIA

Non, mais elle a dit que tu n'y gagnerais rien, et moi je te le confirme.

DORANTE

Tu fais fort bien, Lisette, cette fierté-là te va à merveille, et quoiqu'elle me fasse mon procès, je suis pourtant bien aise de te la voir ; je te l'ai souhaitée d'abord que[46] je t'ai vue, il te fallait encore cette grâce-là, et je me console d'y perdre, parce que tu y gagnes.

SILVIA, *à part.*

Mais en vérité, voilà un garçon qui me surprend malgré que j'en aie[47]... *Haut.* Dis-moi, qui es-tu toi qui me parles ainsi ?

DORANTE

Le fils d'honnêtes gens qui n'étaient pas riches.

SILVIA

Va je te souhaite de bon cœur une meilleure situation que la tienne, et je voudrais pouvoir y contribuer, la fortune a tort avec toi.

DORANTE

Ma foi, l'amour a plus de tort qu'elle, j'aimerais mieux qu'il me fût permis de te demander ton cœur, que d'avoir tous les biens du monde.

SILVIA, *à part.*

Nous voilà grâce au ciel en conversation réglée[48] *Haut.* Bourguignon je ne saurais me fâcher des discours que tu me tiens ; mais je t'en prie, changeons d'entretien, venons à ton maître, tu peux te passer de me parler d'amour, je pense ?

DORANTE

Tu pourrais bien te passer de m'en faire sentir toi.

SILVIA

Ahi ! je me fâcherai, tu m'impatientes, encore une fois laisse là ton amour.

DORANTE

Quitte donc ta figure.

SILVIA, *à part.*

À la fin, je crois qu'il m'amuse[49]... *Haut.* Eh bien, Bourguignon, tu ne veux donc pas finir, faudra-t-il que je te quitte ? *À part.* Je devrais déjà l'avoir fait.

DORANTE

Attends, Lisette, je voulais moi-même te parler d'autre chose ; mais je ne sais plus ce que c'est.

SILVIA

J'avais de mon côté quelque chose à te dire ; mais tu m'as fait perdre mes idées aussi à moi.

DORANTE

Je me rappelle de t'avoir demandé si ta maîtresse te valait.

SILVIA

Tu reviens à ton chemin par un détour, adieu.

DORANTE

Eh non, te dis-je, Lisette, il ne s'agit ici que de mon maître.

SILVIA

Eh bien soit, je voulais te parler de lui aussi, et j'espère que tu voudras bien me dire confidemment[50] ce qu'il est ; ton attachement pour lui m'en donne bonne opinion, il faut qu'il ait du mérite puisque tu le sers.

DORANTE

Tu me permettras peut-être bien de te remercier de ce que tu me dis là par exemple ?

SILVIA

Veux-tu bien ne prendre pas garde à l'imprudence que j'ai eue de le dire ?

DORANTE

Voilà encore de ces réponses qui m'emportent[51] ; fais comme tu voudras, je n'y résiste point, et je suis bien malheureux de me trouver arrêté par tout ce qu'il y a de plus aimable au monde.

SILVIA

Et moi je voudrais bien savoir comment il se fait que j'ai la bonté de t'écouter, car assurément, cela est singulier !

DORANTE

Tu as raison, notre aventure est unique.

SILVIA, *à part.*

Malgré tout ce qu'il m'a dit, je ne suis point partie, je ne pars point, me voilà encore, et je réponds ! en vérité, cela passe[52] la raillerie. *Haut.* Adieu.

DORANTE

Achevons donc ce que nous voulions dire.

SILVIA

Adieu, te dis-je, plus de quartier[53] ; quand ton maître sera venu, je tâcherai en faveur de ma maîtresse de le connaître par moi-même, s'il en vaut la peine ; en attendant, tu vois cet appartement, c'est le vôtre.

DORANTE

Tiens, voici mon maître.

SCÈNE 7

DORANTE, SILVIA, ARLEQUIN

ARLEQUIN

Ah, te voilà, Bourguignon ; mon porte-manteau [54] et toi, avez-vous été bien reçus ici ?

DORANTE

Il n'était pas possible qu'on nous reçût mal, Monsieur.

ARLEQUIN

Un Domestique là-bas m'a dit d'entrer ici, et qu'on allait avertir mon beau-père qui était avec ma femme.

SILVIA

Vous voulez dire Monsieur Orgon et sa fille, sans doute, Monsieur ?

ARLEQUIN

Eh oui, mon beau-père et ma femme, autant vaut [55] ; je viens pour épouser, et ils m'attendent pour être mariés, cela est convenu, il ne manque plus que la cérémonie, qui est une bagatelle.

SILVIA

C'est une bagatelle qui vaut bien la peine qu'on y pense.

ARLEQUIN

Oui, mais quand on y a pensé on n'y pense plus.

SILVIA, *bas à Dorante.*

Bourguignon, on est homme de mérite à bon marché chez vous, ce me semble ?

ARLEQUIN

Que dites-vous là à mon valet, la belle ?

SILVIA

Rien, je lui dis seulement, que je vais faire descendre Monsieur Orgon.

ARLEQUIN

Et pourquoi ne pas dire mon beau-père, comme moi ?

SILVIA

C'est qu'il ne l'est pas encore.

DORANTE

Elle a raison, Monsieur, le mariage n'est pas fait.

ARLEQUIN

Eh bien, me voilà pour le faire.

DORANTE

Attendez donc qu'il soit fait.

ARLEQUIN

Pardi, voilà bien des façons pour un beau-père de la veille ou du lendemain.

SILVIA

En effet, quelle si grande différence y a-t-il entre être mariée ou ne l'être pas ? Oui, Monsieur, nous avons tort, et je cours informer votre beau-père de votre arrivée.

ARLEQUIN

Et ma femme aussi, je vous prie ; mais avant que de partir, dites-moi une chose, vous qui êtes si jolie, n'êtes-vous pas la soubrette de l'hôtel[56] ?

SILVIA

Vous l'avez dit.

ARLEQUIN

C'est fort bien fait, je m'en réjouis : croyez-vous que je plaise ici, comment me trouvez-vous ?

SILVIA

Je vous trouve... plaisant.

ARLEQUIN

Bon, tant mieux, entretenez-vous dans ce sentiment-là, il pourra trouver sa place.

SILVIA

Vous êtes bien modeste de vous en contenter ; mais je vous quitte, il faut qu'on ait oublié d'avertir votre beau-père, car assurément il serait venu, et j'y vais.

ARLEQUIN

Dites-lui que je l'attends avec affection.

SILVIA, *à part.*

Que le sort est bizarre ! aucun de ces deux hommes n'est à sa place.

SCÈNE 8

DORANTE, ARLEQUIN

ARLEQUIN

Eh bien, Monsieur, mon commencement va bien, je plais déjà à la soubrette.

DORANTE

Butor[57] que tu es !

ARLEQUIN

Pourquoi donc, mon entrée est si gentille !

DORANTE

Tu m'avais tant promis de laisser là tes façons de parler sottes et triviales, je t'avais donné de si bonnes instructions, je ne t'avais recommandé que d'être sérieux. Va, je vois bien que je suis un étourdi de m'en être fié à toi.

ARLEQUIN

Je ferai encore mieux dans les suites[58], et puisque le sérieux n'est pas suffisant, je donnerai du mélancolique, je pleurerai, s'il le faut.

DORANTE

Je ne sais plus où j'en suis; cette aventure-ci m'étourdit : que faut-il que je fasse?

ARLEQUIN

Est-ce que la fille n'est pas plaisante?

DORANTE

Tais-toi; voici Monsieur Orgon qui vient.

SCÈNE 9

MONSIEUR ORGON, DORANTE, ARLEQUIN

MONSIEUR ORGON

Mon cher Monsieur, je vous demande mille pardons de vous avoir fait attendre; mais ce n'est que de cet instant que j'apprends que vous êtes ici.

ARLEQUIN

Monsieur, mille pardons, c'est beaucoup trop, et il n'en faut qu'un quand on n'a fait qu'une faute; au surplus tous mes pardons sont à votre service.

MONSIEUR ORGON

Je tâcherai de n'en avoir pas besoin.

ARLEQUIN

Vous êtes le maître, et moi votre serviteur.

MONSIEUR ORGON

Je suis, je vous assure, charmé de vous voir, et je vous attendais avec impatience.

ARLEQUIN

Je serais d'abord venu ici avec Bourguignon ; mais quand on arrive de voyage, vous savez qu'on est si mal bâti[59], et j'étais bien aise de me présenter dans un état plus ragoûtant[60].

MONSIEUR ORGON

Vous y avez fort bien réussi ; ma fille s'habille, elle a été un peu indisposée ; en attendant qu'elle descende, voulez-vous vous rafraîchir ?

ARLEQUIN

Oh je n'ai jamais refusé de trinquer avec personne.

MONSIEUR ORGON

Bourguignon, ayez soin de vous, mon garçon.

ARLEQUIN

Le gaillard est gourmet, il boira du meilleur.

MONSIEUR ORGON

Qu'il ne l'épargne pas.

ACTE II

SCÈNE PREMIÈRE

LISETTE, MONSIEUR ORGON

MONSIEUR ORGON

Eh bien, que me veux-tu Lisette?

LISETTE

J'ai à vous entretenir un moment.

MONSIEUR ORGON

De quoi s'agit-il?

LISETTE

De vous dire l'état où sont les choses, parce qu'il est important que vous en soyez éclairci, afin que vous n'ayez point à vous plaindre de moi.

MONSIEUR ORGON

Ceci est donc bien sérieux.

LISETTE

Oui très sérieux, vous avez consenti au déguisement de Mademoiselle Silvia, moi-même je l'ai trouvé d'abord sans conséquence, mais je me suis trompée.

MONSIEUR ORGON

Et de quelle conséquence est-il donc ?

LISETTE

Monsieur, on a de la peine à se louer soi-même, mais malgré toutes les règles de la modestie, il faut pourtant que je vous dise que si vous ne mettez ordre à ce qui arrive, votre prétendu gendre n'aura plus de cœur à donner à Mademoiselle votre fille ; il est temps qu'elle se déclare, cela presse, car un jour plus tard, je n'en réponds plus.

MONSIEUR ORGON

Eh, d'où vient qu'il ne voudrait plus de ma fille, quand il la connaîtra, te défies-tu de ses charmes ?

LISETTE

Non ; mais vous ne vous méfiez pas assez des miens, je vous avertis qu'ils vont leur train [1], et que je ne vous conseille pas de les laisser faire.

MONSIEUR ORGON

Je vous en fais mes compliments, Lisette. *Il rit.* Ah, ah, ah !

LISETTE

Nous y voilà ; vous plaisantez, Monsieur, vous vous moquez de moi. J'en suis fâchée, car vous y serez pris.

MONSIEUR ORGON

Ne t'en embarrasse pas, Lisette, va ton chemin.

LISETTE

Je vous le répète encore, le cœur de Dorante va bien vite ; tenez, actuellement je lui plais beaucoup, ce soir il m'aimera, il m'adorera demain, je ne le mérite pas, il est[2] de mauvais goût, vous en direz ce qu'il vous plaira ; mais cela ne laissera pas que d'être[3], voyez-vous, demain je me garantis adorée.

MONSIEUR ORGON

Eh bien, que vous importe : s'il vous aime tant, qu'il vous épouse.

LISETTE

Quoi ! vous ne l'en empêcheriez pas ?

MONSIEUR ORGON

Non, d'homme d'honneur, si tu le mènes jusque-là.

LISETTE

Monsieur, prenez-y garde, jusqu'ici je n'ai pas aidé à mes appas, je les ai laissé faire tout seuls ; j'ai ménagé sa tête, si je m'en mêle, je la renverse, il n'y aura plus de remède.

MONSIEUR ORGON

Renverse, ravage, brûle, enfin épouse, je te le permets si tu le peux.

LISETTE

Sur ce pied-là[4] je compte ma fortune faite.

MONSIEUR ORGON

Mais dis-moi, ma fille t'a-t-elle parlé, que pense-t-elle de son prétendu ?

LISETTE

Nous n'avons encore guère trouvé le moment de nous parler, car ce prétendu m'obsède[5] ; mais à vue de pays[6], je ne la crois pas contente, je la trouve triste, rêveuse, et je m'attends bien qu'elle me priera de le rebuter[7].

MONSIEUR ORGON

Et moi, je te le défends ; j'évite de m'expliquer avec elle, j'ai mes raisons pour faire durer ce déguisement ; je veux qu'elle examine son futur plus à loisir. Mais le valet, comment se gouverne-t-il[8] ? ne se mêle-t-il pas d'aimer ma fille ?

LISETTE

C'est un original, j'ai remarqué qu'il fait l'homme de conséquence[9] avec elle parce qu'il est bien fait, il la regarde et soupire.

MONSIEUR ORGON

Et cela la fâche ?

LISETTE

Mais... elle rougit.

MONSIEUR ORGON

Bon, tu te trompes ; les regards d'un valet ne l'embarrassent pas jusque-là.

LISETTE

Monsieur, elle rougit.

MONSIEUR ORGON

C'est donc d'indignation.

LISETTE

À la bonne heure.

MONSIEUR ORGON

Eh bien, quand tu lui parleras, dis-lui que tu soupçonnes ce valet de la prévenir [10] contre son maître ; et si elle se fâche, ne t'en inquiète point, ce sont mes affaires : mais voici Dorante qui te cherche apparemment.

SCÈNE 2

LISETTE, ARLEQUIN, MONSIEUR ORGON

ARLEQUIN

Ah, je vous retrouve, merveilleuse Dame, je vous demandais à tout le monde ; serviteur [11], cher beau-père ou peu s'en faut.

MONSIEUR ORGON

Serviteur. Adieu, mes enfants, je vous laisse ensemble ; il est bon que vous vous aimiez un peu avant que de vous marier.

ARLEQUIN

Je ferais bien ces deux besognes-là à la fois, moi.

MONSIEUR ORGON

Point d'impatience, adieu.

SCÈNE 3

LISETTE, ARLEQUIN

ARLEQUIN

Madame, il dit que je ne m'impatiente pas, il en parle bien à son aise le bonhomme.

LISETTE

J'ai de la peine à croire qu'il vous en coûte tant d'attendre, Monsieur, c'est par galanterie que vous faites l'impatient, à peine êtes-vous arrivé! votre amour ne saurait être bien fort, ce n'est tout au plus qu'un amour naissant.

ARLEQUIN

Vous vous trompez, prodige de nos jours, un amour de votre façon [12] ne reste pas longtemps au berceau; votre premier coup d'œil a fait naître le mien, le second lui a donné des forces, et le troisième l'a rendu grand garçon; tâchons de l'établir [13] au plus vite, ayez soin de lui puisque vous êtes sa mère.

LISETTE

Trouvez-vous qu'on le maltraite, est-il si abandonné?

ARLEQUIN

En attendant qu'il soit pourvu, donnez-lui seulement votre belle main blanche pour l'amuser un peu.

LISETTE

Tenez donc petit importun, puisqu'on ne saurait avoir la paix qu'en vous amusant.

ARLEQUIN, *lui baisant la main.*

Cher joujou de mon âme ! cela me réjouit comme du vin délicieux, quel dommage, de n'en avoir que roquille [14] !

LISETTE

Allons, arrêtez-vous, vous êtes trop avide.

ARLEQUIN

Je ne demande qu'à me soutenir en attendant que je vive.

LISETTE

Ne faut-il pas avoir de la raison ?

ARLEQUIN

De la raison ! hélas je l'ai perdue, vos beaux yeux sont les filous qui me l'ont volée.

LISETTE

Mais est-il possible, que vous m'aimiez tant ? je ne saurais me le persuader.

ARLEQUIN

Je ne me soucie pas de ce qui est possible, moi ; mais je vous aime comme un perdu [15], et vous verrez bien dans votre miroir que cela est juste.

LISETTE

Mon miroir ne servirait qu'à me rendre plus incrédule.

ARLEQUIN

Ah ! mignonne, adorable, votre humilité ne serait donc qu'une hypocrite !

LISETTE

Quelqu'un vient à nous ; c'est votre valet.

SCÈNE 4

DORANTE, ARLEQUIN, LISETTE

DORANTE

Monsieur, pourrais-je vous entretenir un moment ?

ARLEQUIN

Non : maudite soit la valetaille qui ne saurait nous laisser en repos !

LISETTE

Voyez ce qu'il nous veut, Monsieur.

DORANTE

Je n'ai qu'un mot à vous dire.

ARLEQUIN

Madame, s'il en dit deux, son congé sera le troisième. Voyons ?

DORANTE, *bas à Arlequin.*

Viens donc impertinent.

ARLEQUIN, *bas à Dorante.*

Ce sont des injures, et non pas des mots, cela... *À Lisette.* Ma Reine, excusez.

LISETTE

Faites, faites.

DORANTE

Débarrasse-moi de tout ceci, ne te livre point, parais sérieux, et rêveur, et même mécontent, entends-tu ?

ARLEQUIN

Oui mon ami, ne vous inquiétez pas, et retirez-vous.

SCÈNE 5

ARLEQUIN, LISETTE

ARLEQUIN

Ah ! Madame, sans lui j'allais vous dire de belles choses, et je n'en trouverai plus que de communes à cette heure, hormis mon amour qui est extraordinaire ;

mais à propos de mon amour, quand est-ce que le vôtre lui tiendra compagnie ?

LISETTE

Il faut espérer que cela viendra.

ARLEQUIN

Et croyez-vous que cela vienne ?

LISETTE

La question est vive ; savez-vous bien que vous m'embarrassez ?

ARLEQUIN

Que voulez-vous ? je brûle, et je crie au feu.

LISETTE

S'il m'était permis de m'expliquer si vite.

ARLEQUIN

Je suis du sentiment que vous le pouvez en conscience.

LISETTE

La retenue de mon sexe ne le veut pas.

ARLEQUIN

Ce n'est donc pas la retenue d'à présent qui donne bien d'autres permissions.

LISETTE

Mais, que me demandez-vous ?

ARLEQUIN

Dites-moi un petit brin que vous m'aimez ; tenez je vous aime moi, faites l'écho, répétez Princesse.

LISETTE

Quel insatiable ! eh bien, Monsieur, je vous aime.

ARLEQUIN

Eh bien, Madame, je me meurs ; mon bonheur me confond, j'ai peur d'en courir les champs [16] ; vous m'aimez, cela est admirable !

LISETTE

J'aurais lieu à mon tour d'être étonnée de la promptitude de votre hommage ; peut-être m'aimerez-vous moins quand nous nous connaîtrons mieux.

ARLEQUIN

Ah, Madame, quand nous en serons là, j'y perdrai beaucoup, il y aura bien à décompter [17].

LISETTE

Vous me croyez plus de qualités que je n'en ai.

ARLEQUIN

Et vous Madame, vous ne savez pas les miennes ; et je ne devrais vous parler qu'à genoux.

LISETTE

Souvenez-vous qu'on n'est pas les maîtres de son sort.

ARLEQUIN

Les pères et mères font tout à leur tête.

LISETTE

Pour moi, mon cœur vous aurait choisi dans quelque état [18] que vous eussiez été.

ARLEQUIN

Il a beau jeu pour me choisir encore [19].

LISETTE

Puis-je me flatter que vous êtes de même à mon égard ?

ARLEQUIN

Hélas, quand vous ne seriez que Perrette ou Margot, quand je vous aurais vue le martinet [20] à la main descendre à la cave, vous auriez toujours été ma Princesse.

LISETTE

Puissent de si beaux sentiments être durables !

ARLEQUIN

Pour les fortifier de part et d'autre jurons-nous de nous aimer toujours en dépit de toutes les fautes d'orthographe que vous aurez faites sur mon compte.

LISETTE

J'ai plus d'intérêt à ce serment-là que vous, et je le fais de tout mon cœur.

ARLEQUIN *se met à genoux.*

Votre bonté m'éblouit, et je me prosterne devant elle.

LISETTE

Arrêtez-vous, je ne saurais vous souffrir dans cette posture-là, je serais ridicule de vous y laisser ; levez-vous. Voilà encore quelqu'un.

SCÈNE 6

LISETTE, ARLEQUIN, SILVIA

LISETTE

Que voulez-vous Lisette ?

SILVIA

J'aurais à vous parler, Madame.

ARLEQUIN

Ne voilà-t-il pas ! Eh ma mie revenez dans un quart d'heure, allez, les femmes de chambre de mon pays n'entrent point qu'on ne les appelle.

SILVIA

Monsieur, il faut que je parle à Madame.

ARLEQUIN

Mais voyez l'opiniâtre soubrette ! Reine de ma vie renvoyez-la. Retournez-vous-en, ma fille, nous avons ordre de nous aimer avant qu'on nous marie, n'interrompez point nos fonctions.

LISETTE

Ne pouvez-vous pas revenir dans un moment, Lisette ?

SILVIA

Mais, Madame...

ARLEQUIN

Mais ! Ce mais-là n'est bon qu'à me donner la fièvre.

SILVIA, *à part les premiers mots.*

Ah le vilain homme ! Madame, je vous assure que cela est pressé.

LISETTE

Permettez donc que je m'en défasse, Monsieur.

ARLEQUIN

Puisque le diable le veut, et elle aussi... Patience... je me promènerai en attendant qu'elle ait fait. Ah, les sottes gens que nos gens !

SCÈNE 7

SILVIA, LISETTE

SILVIA

Je vous trouve admirable de ne pas le renvoyer tout d'un coup, et de me faire essuyer les brutalités[21] de cet animal-là.

LISETTE

Pardi, Madame, je ne puis pas jouer deux rôles à la fois ; il faut que je paraisse ou la Maîtresse, ou la Suivante, que j'obéisse ou que j'ordonne.

SILVIA

Fort bien ; mais puisqu'il n'y est plus, écoutez-moi comme votre Maîtresse : vous voyez bien que cet homme-là ne me convient point.

LISETTE

Vous n'avez pas eu le temps de l'examiner beaucoup.

SILVIA

Êtes-vous folle avec votre examen ? Est-il nécessaire de le voir deux fois pour juger du peu de convenance[22] ? En un mot je n'en veux point. Apparemment que mon père n'approuve pas la répugnance qu'il me voit, car il me fuit, et ne me dit mot ; dans cette conjoncture, c'est à vous à me tirer tout doucement d'affaire, en témoignant adroitement à ce jeune homme que vous n'êtes pas dans le goût de l'épouser.

LISETTE

Je ne saurais, Madame.

SILVIA

Vous ne sauriez ! et qu'est-ce qui vous en empêche ?

LISETTE

Monsieur Orgon me l'a défendu.

SILVIA

Il vous l'a défendu ! Mais je ne reconnais point mon père à ce procédé-là[23].

LISETTE

Positivement défendu.

SILVIA

Eh bien, je vous charge de lui dire mes dégoûts, et de l'assurer qu'ils sont invincibles ; je ne saurais me persuader qu'après cela il veuille pousser les choses plus loin.

LISETTE

Mais, Madame, le futur qu'a t-il donc de si désagréable, de si rebutant ?

SILVIA

Il me déplaît vous dis-je, et votre peu de zèle aussi.

LISETTE

Donnez-vous le temps de voir ce qu'il est, voilà tout ce qu'on vous demande.

SILVIA

Je le hais assez sans prendre du temps pour le haïr davantage.

LISETTE

Son valet qui fait l'important ne vous aurait-il point gâté l'esprit[24] sur son compte ?

SILVIA

Hum, la sotte ! son valet a bien affaire ici !

LISETTE

C'est que je me méfie de lui, car il est raisonneur

SILVIA

Finissez vos portraits, on n'en a que faire ; j'ai soin que ce valet me parle peu, et dans le peu qu'il m'a dit, il ne m'a jamais rien dit que de très sage.

LISETTE

Je crois qu'il est homme à vous avoir conté des histoires maladroites [25], pour faire briller son bel esprit.

SILVIA

Mon déguisement ne m'expose-t-il pas à m'entendre dire de jolies choses ! à qui en avez-vous ? d'où vous vient la manie, d'imputer à ce garçon une répugnance à laquelle il n'a point de part ? car enfin, vous m'obligez à le justifier, il n'est pas question de le brouiller avec son maître, ni d'en faire un fourbe pour me faire moi une imbécile qui écoute ses histoires.

LISETTE

Oh, Madame, dès que vous le défendez sur ce ton-là, et que cela va jusqu'à vous fâcher, je n'ai plus rien à dire.

SILVIA

Dès que je vous [26] le défends sur ce ton-là ! qu'est-ce que c'est que le ton dont vous dites cela vous-même ?

Qu'entendez-vous par ce discours, que se passe-t-il dans votre esprit ?

LISETTE

Je dis, Madame, que je ne vous ai jamais vue comme vous êtes, et que je ne conçois rien à votre aigreur. Eh bien si ce valet n'a rien dit, à la bonne heure, il ne faut pas vous emporter pour le justifier, je vous crois, voilà qui est fini, je ne m'oppose pas à la bonne opinion que vous en avez, moi.

SILVIA

Voyez-vous le mauvais esprit ! comme elle tourne les choses, je me sens dans une indignation... qui... va jusqu'aux larmes.

LISETTE

En quoi donc, Madame ? Quelle finesse[27] entendez-vous à ce que je dis ?

SILVIA

Moi, j'y entends finesse ! moi, je vous querelle pour lui ! j'ai bonne opinion de lui ! Vous me manquez de respect jusque-là, bonne opinion, juste ciel ! Bonne opinion ! Que faut-il que je réponde à cela ? qu'est-ce que cela veut dire, à qui parlez-vous ? qui est-ce qui est à l'abri de ce qui m'arrive, où en sommes-nous ?

LISETTE

Je n'en sais rien, mais je ne reviendrai de longtemps de la surprise où vous me jetez.

SILVIA

Elle a des façons de parler qui me mettent hors de moi ; retirez-vous, vous m'êtes insupportable, laissez-moi, je prendrai d'autres mesures.

SCÈNE 8

SILVIA

SILVIA

Je frissonne encore de ce que je lui ai entendu dire ; avec quelle impudence les Domestiques ne nous traitent-ils pas dans leur esprit ? comme ces gens-là vous dégradent ! je ne saurais m'en remettre, je n'oserais songer aux termes dont elle s'est servie, ils me font toujours peur. Il s'agit d'un valet : Ah l'étrange chose ! écartons l'idée dont cette insolente est venue me noircir l'imagination. Voici Bourguignon, voilà cet objet[28] en question pour lequel je m'emporte ; mais ce n'est pas sa faute, le pauvre garçon et je ne dois pas m'en prendre à lui.

SCÈNE 9

DORANTE, SILVIA

DORANTE

Lisette, quelque éloignement[29] que tu aies pour moi, je suis forcé de te parler, je crois que j'ai à me plaindre de toi.

SILVIA

Bourguignon, ne nous tutoyons plus, je t'en prie

DORANTE

Comme tu voudras.

SILVIA

Tu n'en fais pourtant rien.

DORANTE

Ni toi non plus, tu me dis je t'en prie

SILVIA

C'est que cela m'est échappé.

DORANTE

Eh bien, crois-moi, parlons comme nous pourrons, ce n'est pas la peine de nous gêner pour le peu de temps que nous avons à nous voir.

SILVIA

Est-ce que ton Maître s'en va? il n'y aurait pas grande perte.

DORANTE

Ni à moi non plus[30], n'est-il pas vrai? j'achève ta pensée.

SILVIA

Je l'achèverais bien moi-même si j'en avais envie, mais je ne songe pas à toi

DORANTE

Et moi je ne te perds point de vue.

SILVIA

Tiens, Bourguignon, une bonne fois pour toutes, demeure, va-t'en, reviens, tout cela doit m'être indifférent, et me l'est en effet, je ne te veux ni bien ni mal, je ne te hais, ni ne t'aime, ni ne t'aimerai à moins que l'esprit ne me tourne[31]; voilà mes dispositions, ma raison ne m'en permet point d'autres, et je devrais me dispenser de te le dire.

DORANTE

Mon malheur est inconcevable, tu m'ôtes peut-être tout le repos de ma vie.

SILVIA

Quelle fantaisie il s'est allé mettre dans l'esprit! il me fait de la peine : reviens à toi, tu me parles, je te réponds, c'est beaucoup, c'est trop même, tu peux m'en croire, et si tu étais instruit, en vérité tu serais content de moi, tu me trouverais d'une bonté sans exemple, d'une bonté que je blâmerais dans une autre, je ne me la reproche pourtant pas, le fond de mon cœur me rassure, ce que je fais est louable, c'est par générosité que je te parle, mais il ne faut pas que cela dure, ces générosités-là ne sont bonnes qu'en passant, et je ne suis pas faite pour me rassurer[32] toujours sur l'innocence de mes intentions, à la fin, cela ne ressemblerait plus à rien; ainsi finissons, Bourguignon, finissons je t'en prie; qu'est-ce que cela signifie? C'est se moquer, allons qu'il n'en soit plus parlé.

DORANTE

Ah, ma chère Lisette, que je souffre!

SILVIA

Venons à ce que tu voulais me dire, tu te plaignais de moi quand tu es entré, de quoi était-il question?

DORANTE

De rien, d'une bagatelle, j'avais envie de te voir, et je crois que je n'ai pris qu'un prétexte.

SILVIA, *à part.*

Que dire à cela? quand je m'en fâcherais, il n'en serait ni plus ni moins.

DORANTE

Ta maîtresse en partant a paru m'accuser de t'avoir parlé au désavantage de mon maître.

SILVIA

Elle se l'imagine, et si elle t'en parle encore, tu peux le nier hardiment, je me charge du reste.

DORANTE

Eh, ce n'est pas cela qui m'occupe!

SILVIA

Si tu n'as que cela à me dire, nous n'avons plus que faire ensemble.

DORANTE

Laisse-moi du moins le plaisir de te voir.

SILVIA

Le beau motif qu'il me fournit là ! j'amuserai[33] la passion de Bourguignon : le souvenir de tout ceci me fera bien rire un jour.

DORANTE

Tu me railles, tu as raison, je ne sais ce que je dis, ni ce que je te demande ; adieu.

SILVIA

Adieu, tu prends le bon parti... mais, à propos de tes adieux, il me reste encore une chose à savoir, vous partez, m'as-tu dit, cela est-il sérieux ?

DORANTE

Pour moi il faut que je parte, ou que la tête me tourne.

SILVIA

Je ne t'arrêtais pas pour cette réponse-là, par exemple.

DORANTE

Et je n'ai fait qu'une faute, c'est de n'être pas parti dès que je t'ai vue.

SILVIA, *à part.*

J'ai besoin à tout moment d'oublier que je l'écoute.

DORANTE

Si tu savais, Lisette, l'état où je me trouve...

SILVIA

Oh, il n'est pas si curieux à savoir que le mien, je t'en assure.

DORANTE

Que peux-tu me reprocher ? je ne me propose pas de te rendre sensible[34].

SILVIA, *à part.*

Il ne faudrait pas s'y fier.

DORANTE

Et que pourrais-je espérer en tâchant de me faire aimer ? hélas ! quand même j'aurais ton cœur...

SILVIA

Que le ciel m'en préserve ! quand tu l'aurais, tu ne le saurais pas, et je ferais si bien, que je ne le saurais pas moi-même : tenez, quelle idée il lui vient là !

DORANTE

Il est donc bien vrai que tu ne me hais, ni ne m'aimes, ni ne m'aimeras ?

SILVIA

Sans difficulté[35].

DORANTE

Sans difficulté ! Qu'ai-je donc de si affreux ?

SILVIA

Rien, ce n'est pas là ce qui te nuit.

DORANTE

Eh bien, chère Lisette, dis-le-moi cent fois, que tu ne m'aimeras point.

SILVIA

Oh, je te l'ai assez dit, tâche de me croire.

DORANTE

Il faut que je le croie ! Désespère une passion dangereuse, sauve-moi des effets que j'en crains ; tu ne me hais, ni ne m'aimes, ni ne m'aimeras ! accable mon cœur de cette certitude-là ! j'agis de bonne foi, donne-moi du secours contre moi-même, il m'est nécessaire, je te le demande à genoux. *Il se jette à genoux. Dans ce moment, Monsieur Orgon et Mario entrent et ne disent mot.*

SILVIA

Ah, nous y voilà ! il ne manquait plus que cette façon-là[36] à mon aventure ; que je suis malheureuse ! c'est ma facilité qui le place là ; lève-toi donc, Bourguignon, je t'en conjure, il peut venir quelqu'un, je dirai ce qu'il te plaira, que me veux-tu ? je ne te hais point, lève-toi, je t'aimerais si je pouvais, tu ne me déplais point, cela doit te suffire.

DORANTE

Quoi, Lisette, si je n'étais pas ce que je suis, si j'étais riche, d'une condition honnête[37], et que je t'aimasse autant que je t'aime, ton cœur n'aurait point de répugnance pour moi ?

SILVIA

Assurément.

DORANTE

Tu ne me haïrais pas, tu me souffrirais ?

SILVIA

Volontiers, mais lève-toi.

DORANTE

Tu parais le dire sérieusement ; et si cela est, ma raison est perdue

SILVIA

Je dis ce que tu veux, et tu ne te lèves point.

SCÈNE 10

MONSIEUR ORGON, MARIO,
SILVIA, DORANTE

MONSIEUR ORGON

C'est bien dommage de vous interrompre, cela va à merveille, mes enfants, courage !

SILVIA

Je ne saurais empêcher ce garçon de se mettre à genoux, Monsieur, je ne suis pas en état de lui en imposer[38], je pense.

MONSIEUR ORGON

Vous vous convenez parfaitement bien tous deux ; mais j'ai à te dire un mot, Lisette, et vous reprendrez votre conversation quand nous serons partis : vous le voulez bien, Bourguignon ?

DORANTE

Je me retire, Monsieur.

MONSIEUR ORGON

Allez, et tâchez de parler de votre maître avec un peu plus de ménagement que vous ne faites.

DORANTE

Moi, Monsieur ?

MARIO

Vous-même, mons Bourguignon ; vous ne brillez pas trop dans le respect que vous avez pour votre maître, dit-on.

DORANTE

Je ne sais ce qu'on veut dire.

MONSIEUR ORGON

Adieu, adieu ; vous vous justifierez une autre fois.

SCÈNE 11

SILVIA, MARIO, MONSIEUR ORGON

MONSIEUR ORGON

Eh bien, Silvia, vous ne nous regardez pas, vous avez l'air tout embarrassé.

SILVIA

Moi, mon père! et où serait le motif de mon embarras? Je suis, grâce au ciel, comme à mon ordinaire; je suis fâchée de vous dire que c'est une idée[39].

MARIO

Il y a quelque chose, ma sœur, il y a quelque chose.

SILVIA

Quelque chose dans votre tête, à la bonne heure, mon frère; mais pour dans la mienne[40], il n'y a que l'étonnement de ce que vous dites.

MONSIEUR ORGON

C'est donc ce garçon qui vient de sortir qui t'inspire cette extrême antipathie que tu as pour son maître?

SILVIA

Qui? le domestique de Dorante?

MONSIEUR ORGON

Oui, le galant Bourguignon.

SILVIA

Le galant Bourguignon, dont je ne savais pas l'épithète, ne me parle pas de lui.

MONSIEUR ORGON

Cependant on prétend que c'est lui qui le détruit[41] auprès de toi, et c'est sur quoi j'étais bien aise de te parler.

SILVIA

Ce n'est pas la peine, mon père, et personne au monde que son maître, ne m'a donné l'aversion naturelle que j'ai pour lui.

MARIO

Ma foi, tu as beau dire, ma sœur, elle est trop forte pour être si naturelle, et quelqu'un y a aidé.

SILVIA, *avec vivacité.*

Avec quel air mystérieux vous me dites cela, mon frère; et qui est donc ce quelqu'un qui y a aidé? voyons.

MARIO

Dans quelle humeur es-tu, ma sœur, comme tu t'emportes!

SILVIA

C'est que je suis bien lasse de mon personnage, et je me serais déjà démasquée si je n'avais pas craint de fâcher mon père.

MONSIEUR ORGON

Gardez-vous-en bien, ma fille, je viens ici pour vous le recommander; puisque j'ai eu la complaisance de vous permettre votre déguisement, il faut, s'il vous plaît, que vous ayez celle de suspendre votre jugement sur Dorante, et de voir si l'aversion qu'on vous a donnée pour lui est légitime.

SILVIA

Vous ne m'écoutez donc point, mon père ! Je vous dis qu'on ne me l'a point donnée.

MARIO

Quoi, ce babillard qui vient de sortir ne t'a pas un peu dégoûtée de lui ?

SYLVIA, *avec feu.*

Que vos discours sont désobligeants ! m'a dégoûtée de lui, dégoûtée ! j'essuie[42] des expressions bien étranges ; je n'entends plus que des choses inouïes, qu'un langage inconcevable ; j'ai l'air embarrassé, il y a quelque chose, et puis c'est le galant Bourguignon qui m'a dégoûtée, c'est tout ce qu'il vous plaira, mais je n'y entends rien.

MARIO

Pour le coup, c'est toi qui es étrange : à qui en as-tu donc ? d'où vient que tu es si fort sur le qui-vive, dans quelle idée nous soupçonnes-tu ?

SILVIA

Courage, mon frère, par quelle fatalité aujourd'hui ne pouvez-vous me dire un mot qui ne me choque ? Quel soupçon voulez-vous qui me vienne ? avez-vous des visions ?

MONSIEUR ORGON

Il est vrai que tu es si agitée que je ne te reconnais point non plus. Ce sont apparemment ces mouvements-là[43] qui sont cause que Lisette nous a parlé comme elle a fait; elle accusait ce valet de ne t'avoir pas entretenue à l'avantage de son maître, et Madame, nous a-t-elle dit, l'a défendu contre moi avec tant de colère, que j'en suis encore toute surprise, et c'est sur ce mot de surprise que nous l'avons querellée; mais ces gens-là ne savent pas la conséquence[44] d'un mot.

SILVIA

L'impertinente! y a-t-il rien de plus haïssable que cette fille-là? J'avoue que je me suis fâchée par un esprit de justice pour ce garçon.

MARIO

Je ne vois point de mal à cela.

SILVIA

Y a-t-il rien de plus simple? Quoi, parce que je suis équitable, que je veux qu'on ne nuise à personne, que je veux sauver un domestique du tort qu'on peut lui faire auprès de son maître, on dit que j'ai des emportements, des fureurs dont on est surprise: un moment après un mauvais esprit raisonne, il faut se fâcher, il faut la faire taire, et prendre mon parti contre elle à cause de la conséquence de ce qu'elle dit? mon parti! J'ai donc besoin qu'on me défende, qu'on me justifie? on peut donc mal interpréter ce que je fais? mais que fais-je? de quoi m'accuse-t-on? instruisez-moi, je vous en conjure; cela est-il sérieux, me joue-t-on, se moque-t-on de moi? je ne suis pas tranquille.

MONSIEUR ORGON

Doucement donc.

SILVIA

Non, Monsieur, il n'y a point de douceur qui tienne ; comment donc, des surprises, des conséquences ! Eh qu'on s'explique, que veut-on dire ? On accuse ce valet, et on a tort ; vous vous trompez tous, Lisette est une folle, il est innocent, et voilà qui est fini ; pourquoi donc m'en reparler encore ? car je suis outrée !

MONSIEUR ORGON

Tu te retiens, ma fille, tu aurais grande envie de me quereller aussi ; mais faisons mieux, il n'y a que ce valet qui est suspect ici, Dorante n'a qu'à le chasser.

SILVIA

Quel malheureux déguisement ! Surtout que Lisette ne m'approche pas, je la hais plus que Dorante.

MONSIEUR ORGON

Tu la verras si tu veux, mais tu dois être charmée que ce garçon s'en aille, car il t'aime, et cela t'impor tune assurément.

SILVIA

Je n'ai point à m'en plaindre, il me prend pour une suivante, et il me parle sur ce ton-là ; mais il ne me dit pas ce qu'il veut, j'y mets bon ordre.

MARIO

Tu n'en es pas tant la maîtresse que tu le dis bien.

MONSIEUR ORGON

Ne l'avons-nous pas vu se mettre à genoux malgré toi? n'as-tu pas été obligée pour le faire lever de lui dire qu'il ne te déplaisait pas?

SILVIA, *à part.*

J'étouffe.

MARIO

Encore a-t-il fallu, quand il t'a demandé si tu l'aimerais, que tu aies tendrement ajouté, volontiers, sans quoi il y serait encore.

SILVIA

L'heureuse apostille[45], mon frère! mais comme l'action m'a déplu, la répétition[46] n'en est pas aimable; ah ça parlons sérieusement, quand finira la comédie que vous donnez sur mon compte?

MONSIEUR ORGON

La seule chose que j'exige de toi, ma fille, c'est de ne te déterminer à le refuser qu'avec connaissance de cause; attends encore, tu me remercieras du délai que je demande, je t'en réponds.

MARIO

Tu épouseras Dorante, et même avec inclination, je te le prédis... Mais, mon père, je vous demande grâce pour le valet.

SILVIA

Pourquoi grâce? et moi je veux qu'il sorte.

MONSIEUR ORGON

Son maître en décidera, allons-nous-en.

MARIO

Adieu, adieu ma sœur, sans rancune.

SCÈNE 12

SILVIA *seule,* DORANTE *qui vient peu après.*

SILVIA

Ah, que j'ai le cœur serré ! je ne sais ce qui se mêle à l'embarras où je me trouve, toute cette aventure-ci m'afflige, je me défie de tous les visages, je ne suis contente de personne, je ne le suis pas de moi-même.

DORANTE

Ah, je te cherchais, Lisette.

SILVIA

Ce n'était pas la peine de me trouver, car je te fuis moi

DORANTE

Arrête donc, Lisette, j'ai à te parler pour la dernière fois, il s'agit d'une chose de conséquence qui regarde tes maîtres.

SILVIA

Va la dire à eux-mêmes, je ne te vois jamais que tu ne me chagrines, laisse-moi.

DORANTE

Je t'en offre autant ; mais écoute-moi, te dis-je, tu vas voir les choses bien changer de face, par ce que je te vais dire.

SILVIA

Eh bien, parle donc, je t'écoute, puisqu'il est arrêté que ma complaisance pour toi sera éternelle.

DORANTE

Me promets-tu le secret ?

SILVIA

Je n'ai jamais trahi personne.

DORANTE

Tu ne dois la confidence que je vais te faire, qu'à l'estime que j'ai pour toi.

SILVIA

Je le crois ; mais tâche de m'estimer sans me le dire, car cela sent le prétexte.

DORANTE

Tu te trompes, Lisette : tu m'as promis le secret ; achevons, tu m'as vu dans de grands mouvements, je n'ai pu me défendre de t'aimer.

SILVIA

Nous y voilà, je me défendrai bien de t'entendre, moi ; adieu.

DORANTE

Reste, ce n'est plus Bourguignon qui te parle.

SILVIA

Eh qui es-tu donc?

DORANTE

Ah, Lisette! c'est ici où tu vas juger des peines qu'a dû ressentir mon cœur.

SILVIA

Ce n'est pas à ton cœur à qui je parle, c'est à toi.

DORANTE

Personne ne vient-il?

SILVIA

Non.

DORANTE

L'état où sont toutes les choses me force à te le dire, je suis trop honnête homme pour n'en pas arrêter le cours.

SILVIA

Soit.

DORANTE

Sache que celui qui est avec ta maîtresse n'est pas ce qu'on pense

SILVIA, *vivement.*

Qui est-il donc ?

DORANTE

Un valet.

SILVIA

Après ?

DORANTE

C'est moi qui suis Dorante.

SILVIA, *à part.*

Ah ! je vois clair dans mon cœur.

DORANTE

Je voulais sous cet habit pénétrer un peu ce que c'était que ta maîtresse, avant que de l'épouser, mon père en partant[47] me permit ce que j'ai fait, et l'événement[48] m'en paraît un songe : je hais la maîtresse dont je devais être l'époux, et j'aime la suivante qui ne devait trouver en moi qu'un nouveau maître. Que faut-il que je fasse à présent ? je rougis pour elle de le dire, mais ta maîtresse a si peu de goût qu'elle est éprise de mon valet au point qu'elle l'épousera si on le laisse faire. Quel parti prendre ?

SILVIA, *à part.*

Cachons-lui que je suis... *Haut.* Votre situation est neuve assurément ! mais, Monsieur, je vous fais d'abord mes excuses de tout ce que mes discours ont pu avoir d'irrégulier dans nos entretiens.

DORANTE, *vivement*

Tais-toi, Lisette ; tes excuses me chagrinent, elles me rappellent la distance qui nous sépare, et ne me la rendent que plus douloureuse.

SILVIA

Votre penchant pour moi est-il si sérieux ? m'aimez-vous jusque-là ?

DORANTE

Au point de renoncer à tout engagement [49], puisqu'il ne m'est pas permis d'unir mon sort au tien ; et dans cet état la seule douceur que je pouvais goûter, c'était de croire que tu ne me haïssais pas.

SILVIA

Un cœur qui m'a choisie dans la condition où je suis, est assurément bien digne qu'on l'accepte, et je le payerais volontiers du mien, si je ne craignais pas de le jeter dans un engagement qui lui ferait tort.

DORANTE

N'as-tu pas assez de charmes, Lisette ? y ajoutes-tu encore la noblesse avec laquelle tu me parles ?

SILVIA

J'entends quelqu'un, patientez encore sur l'article de votre valet [50], les choses n'iront pas si vite, nous nous reverrons, et nous chercherons les moyens de vous tirer d'affaire.

DORANTE

Je suivrai tes conseils. *Il sort.*

SILVIA

Allons, j'avais grand besoin que ce fût là Dorante.

SCÈNE 13

SILVIA, MARIO

MARIO

Je viens te retrouver, ma sœur : nous t'avons laissée dans des inquiétudes qui me touchent : je veux t'en tirer, écoute-moi.

SILVIA, *vivement.*

Ah vraiment, mon frère, il y a bien d'autres nouvelles !

MARIO

Qu'est-ce que c'est ?

SILVIA

Ce n'est point Bourguignon, mon frère, c'est Dorante.

MARIO

Duquel parlez-vous donc ?

SILVIA

De lui, vous dis-je, je viens de l'apprendre tout à l'heure[51], il sort, il me l'a dit lui-même.

MARIO

Qui donc ?

SILVIA

Vous ne m'entendez donc pas ?

MARIO

Si j'y comprends rien, je veux mourir.

SILVIA

Venez, sortons d'ici, allons trouver mon père, il faut qu'il le sache ; j'aurai besoin de vous aussi, mon frère, il me vient de nouvelles idées, il faudra feindre de m'aimer, vous en avez déjà dit quelque chose en badinant ; mais surtout gardez bien le secret, je vous en prie.

MARIO

Oh je le garderai bien, car je ne sais ce que c'est.

SILVIA

Allons, mon frère, venez, ne perdons point de temps ; il n'est jamais rien arrivé d'égal à cela !

MARIO

Je prie le ciel qu'elle n'extravague pas

ACTE III

SCÈNE PREMIÈRE

DORANTE, ARLEQUIN

ARLEQUIN

Hélas, Monsieur, mon très honoré maître, je vous en conjure.

DORANTE

Encore ?

ARLEQUIN

Ayez compassion de ma bonne aventure, ne portez point guignon à mon bonheur qui va son train si rondement, ne lui fermez point le passage.

DORANTE

Allons donc, misérable, je crois que tu te moques de moi ! tu mériterais cent coups de bâton.

ARLEQUIN

Je ne les refuse point, si je les mérite ; mais quand je les aurais reçus, permettez-moi d'en mériter d'autres : voulez-vous que j'aille chercher le bâton ?

DORANTE

Maraud !

ARLEQUIN

Maraud soit, mais cela n'est point contraire à faire fortune.

DORANTE

Ce coquin ! quelle imagination il lui prend !

ARLEQUIN

Coquin est encore bon, il me convient aussi : un maraud n'est point déshonoré d'être appelé coquin ; mais un coquin peut faire un bon mariage.

DORANTE

Comment insolent, tu veux que je laisse un honnête homme dans l'erreur, et que je souffre [1] que tu épouses sa fille sous mon nom ? Écoute, si tu me parles encore de cette impertinence-là, dès que j'aurai averti Monsieur Orgon de ce que tu es, je te chasse, entends-tu ?

ARLEQUIN

Accommodons-nous [2] : cette demoiselle m'adore, elle m'idolâtre ; si je lui dis mon état de valet, et que nonobstant, son tendre cœur soit toujours friand de la noce avec moi, ne laisserez-vous pas jouer les violons [3] ?

DORANTE

Dès qu'on te connaîtra, je ne m'en embarrasse plus.

ARLEQUIN

Bon ! et je vais de ce pas prévenir cette généreuse personne sur mon habit de caractère[4], j'espère que ce ne sera pas un galon de couleur qui nous brouillera ensemble, et que son amour me fera passer à la table en dépit du sort qui ne m'a mis qu'au buffet.

SCÈNE 2

DORANTE *seul, et ensuite* MARIO.

DORANTE

Tout ce qui se passe ici, tout ce qui m'y est arrivé à moi-même est incroyable... Je voudrais pourtant bien voir Lisette, et savoir le succès[5] de ce qu'elle m'a promis de faire auprès de sa maîtresse pour me tirer d'embarras. Allons voir si je pourrai la trouver seule.

MARIO

Arrêtez, Bourguignon, j'ai un mot à vous dire.

DORANTE

Qu'y a-t-il pour votre service, Monsieur ?

MARIO

Vous en contez à Lisette ?

DORANTE

Elle est si aimable, qu'on aurait de la peine à ne lui pas parler d'amour.

MARIO

Comment reçoit-elle ce que vous lui dites ?

DORANTE

Monsieur, elle en badine.

MARIO

Tu as de l'esprit, ne fais-tu pas l'hypocrite ?

DORANTE

Non ; mais qu'est-ce que cela vous fait ? supposez que Lisette eût du goût pour moi...

MARIO

Du goût pour lui ! où prenez-vous vos termes ? Vous avez le langage bien précieux pour un garçon de votre espèce.

DORANTE

Monsieur, je ne saurais parler autrement.

MARIO

C'est apparemment avec ces petites délicatesses-là que vous attaquez Lisette ; cela imite l'homme de condition.

DORANTE

Je vous assure, Monsieur, que je n'imite personne ; mais sans doute que vous ne venez pas exprès pour me traiter de ridicule, et vous aviez autre chose à me dire; nous parlions de Lisette, de mon inclination pour elle et de l'intérêt que vous y prenez.

MARIO

Comment morbleu! il y a déjà un ton de jalousie dans ce que tu me réponds; modère-toi un peu. Eh bien, tu me disais qu'en supposant que Lisette eût du goût pour toi, après?

DORANTE

Pourquoi faudrait-il que vous le sussiez, Monsieur?

MARIO

Ah, le voici; c'est que malgré le ton badin que j'ai pris tantôt[6], je serais très fâché qu'elle t'aimât, c'est que sans autre raisonnement je te défends de t'adresser davantage à elle, non pas dans le fond que je craigne qu'elle t'aime, elle me paraît avoir le cœur trop haut pour cela, mais c'est qu'il me déplaît à moi d'avoir Bourguignon pour rival.

DORANTE

Ma foi, je vous crois, car Bourguignon, tout Bourguignon qu'il est, n'est pas même content que vous soyez le sien.

MARIO

Il prendra patience.

DORANTE

Il faudra bien; mais Monsieur, vous l'aimez donc beaucoup?

MARIO

Assez pour m'attacher sérieusement à elle, dès que j'aurai pris de certaines mesures[7]; comprends-tu ce que cela signifie?

DORANTE

Oui, je crois que je suis au fait; et sur ce pied-là vous êtes aimé sans doute?

MARIO

Qu'en penses-tu? Est-ce que je ne vaux pas la peine de l'être?

DORANTE

Vous ne vous attendez pas à être loué par vos propres rivaux peut-être?

MARIO

La réponse est de bon sens, je te la pardonne; mais je suis bien mortifié de ne pouvoir pas dire qu'on m'aime, et je ne le dis pas pour t'en rendre compte comme tu le crois bien, mais c'est qu'il faut dire la vérité.

DORANTE

Vous m'étonnez, Monsieur, Lisette ne sait donc pas vos desseins?

MARIO

Lisette sait tout le bien que je lui veux, et n'y paraît pas sensible, mais j'espère que la raison me gagnera son cœur. Adieu, retire-toi sans bruit : son indifférence pour moi malgré tout ce que je lui offre doit te consoler du sacrifice que tu me feras... Ta livrée n'est pas propre à faire pencher la balance en ta faveur, et tu n'es pas fait pour lutter contre moi.

SCÈNE 3

SILVIA, DORANTE, MARIO

MARIO

Ah te voilà Lisette ?

SILVIA

Qu'avez-vous Monsieur, vous me paraissez ému ?

MARIO

Ce n'est rien, je disais un mot à Bourguignon.

SILVIA

Il est triste, est-ce que vous le querelliez ?

DORANTE

Monsieur m'apprend qu'il vous aime, Lisette

SILVIA

Ce n'est pas ma faute.

DORANTE

Et me défend de vous aimer.

SILVIA

Il me défend donc de vous paraître aimable.

MARIO

Je ne saurais empêcher qu'il ne t'aime belle Lisette, mais je ne veux pas qu'il te le dise.

SILVIA

Il ne me le dit plus, il ne fait que me le répéter.

MARIO

Du moins ne te le répétera-t-il pas quand je serai présent ; retirez-vous Bourguignon.

DORANTE

J'attends qu'elle me l'ordonne.

MARIO

Encore ?

SILVIA

Il dit qu'il attend, ayez donc patience.

DORANTE

Avez-vous de l'inclination pour Monsieur ?

SILVIA

Quoi de l'amour ? oh je crois qu'il ne sera pas nécessaire qu'on me le défende.

DORANTE

Ne me trompez-vous pas ?

MARIO

En vérité, je joue ici un joli personnage ! qu'il sorte donc ! à qui est-ce que je parle ?

DORANTE

À Bourguignon, voilà tout.

MARIO

Eh bien, qu'il s'en aille.

DORANTE, *à part.*

Je souffre !

SILVIA

Cédez, puisqu'il se fâche.

DORANTE, *bas à Silvia.*

Vous ne demandez peut-être pas mieux ?

MARIO

Allons, finissons.

DORANTE

Vous ne m'aviez pas dit cet amour-là Lisette.

SCÈNE 4

MONSIEUR ORGON, MARIO, SILVIA

SILVIA

Si je n'aimais pas cet homme-là, avouons que je serais bien ingrate.

MARIO, *riant.*

Ha, ha, ha, ha !

MONSIEUR ORGON

De quoi riez-vous, Mario ?

MARIO

De la colère de Dorante qui sort, et que j'ai obligé de quitter Lisette.

SILVIA

Mais que vous a-t-il dit dans le petit entretien que vous avez eu tête à tête avec lui ?

MARIO

Je n'ai jamais vu d'homme ni plus intrigué[8] ni de plus mauvaise humeur.

MONSIEUR ORGON

Je ne suis pas fâché qu'il soit la dupe de son propre stratagème, et d'ailleurs à le bien prendre il n'y a rien de si flatteur ni de plus obligeant pour lui que tout ce que tu as fait jusqu'ici, ma fille ; mais en voilà assez.

MARIO

Mais où en est-il précisément, ma sœur ?

SILVIA

Hélas mon frère, je vous avoue que j'ai lieu d'être contente.

MARIO

Hélas mon frère, me dit-elle ! sentez-vous cette paix douce qui se mêle à ce qu'elle dit ?

MONSIEUR ORGON

Quoi ma fille, tu espères qu'il ira jusqu'à t'offrir sa main dans le déguisement où te voilà ?

SILVIA

Oui, mon cher père, je l'espère !

MARIO

Friponne que tu es, avec ton cher père ! tu ne nous grondes plus à présent, tu nous dis des douceurs.

SILVIA

Vous ne me passez rien.

MARIO

Ha, ha, je prends ma revanche ; tu m'as tantôt chicané sur mes expressions, il faut bien à mon tour que je badine[9] un peu sur les tiennes ; ta joie est bien aussi divertissante que l'était ton inquiétude.

MONSIEUR ORGON

Vous n'aurez point à vous plaindre de moi, ma fille, j'acquiesce à tout ce qui vous plaît.

SILVIA

Ah, Monsieur, si vous saviez combien je vous aurai d'obligation ! Dorante et moi, nous sommes destinés l'un à l'autre, il doit m'épouser ; si vous saviez combien je lui tiendrai compte de ce qu'il fait aujourd'hui pour moi, combien mon cœur gardera le souvenir de l'excès de tendresse qu'il me montre, si vous saviez combien tout ceci va rendre notre union aimable, il ne pourra jamais se rappeler notre histoire sans m'aimer, je n'y songerai jamais que je ne l'aime ; vous avez fondé notre bonheur pour la vie en me laissant faire, c'est un mariage unique, c'est une aventure dont le seul récit est attendrissant, c'est le coup de hasard le plus singulier, le plus heureux, le plus...

MARIO

Ha, ha, ha, que ton cœur a de caquet, ma sœur, quelle éloquence !

MONSIEUR ORGON

Il faut convenir que le régal que tu te donnes est charmant, surtout si tu achèves.

SILVIA

Cela vaut fait [10], Dorante est vaincu, j'attends mon captif.

MARIO

Ses fers seront plus dorés qu'il ne pense ; mais je lui crois l'âme en peine, et j'ai pitié de ce qu'il souffre.

SILVIA

Ce qui lui en coûte à se déterminer, ne me le rend que plus estimable : il pense qu'il chagrinera son père en m'épousant, il croit trahir sa fortune et sa naissance, voilà de grands sujets de réflexion ; je serai charmée de triompher ; mais il faut que j'arrache ma victoire, et non pas qu'il me la donne : je veux un combat entre l'amour et la raison.

MARIO

Et que la raison y périsse ?

MONSIEUR ORGON

C'est-à-dire que tu veux qu'il sente toute l'étendue de l'impertinence [11] qu'il croira faire : quelle insatiable vanité d'amour-propre !

MARIO

Cela, c'est l'amour-propre d'une femme et il est tout au plus uni [12].

SCÈNE 5

MONSIEUR ORGON, SILVIA, MARIO, LISETTE

MONSIEUR ORGON

Paix, voici Lisette : voyons ce qu'elle nous veut ?

LISETTE

Monsieur, vous m'avez dit tantôt que vous m'abandonniez Dorante, que vous livriez sa tête à ma discrétion [13], je vous ai pris au mot, j'ai travaillé comme pour moi, et vous verrez de l'ouvrage bien faite [14], allez, c'est une tête bien conditionnée [15]. Que voulez-vous que j'en fasse à présent, Madame me la cède-t-elle ?

MONSIEUR ORGON

Ma fille, encore une fois n'y prétendez-vous rien ?

SILVIA

Non, je te la donne, Lisette, je te remets tous mes droits, et pour dire comme toi, je ne prendrai jamais de part à un cœur que je n'aurai pas conditionné moi-même.

LISETTE

Quoi ! vous voulez bien que je l'épouse, Monsieur le veut bien aussi ?

MONSIEUR ORGON

Oui, qu'il s'accommode[16], pourquoi t'aime-t-il ?

MARIO

J'y consens aussi moi.

LISETTE

Moi aussi, et je vous en remercie tous

MONSIEUR ORGON

Attends, j'y mets pourtant une petite restriction, c'est qu'il faudrait pour nous disculper de ce qui arrivera, que tu lui dises un peu qui tu es

LISETTE

Mais si je le lui dis un peu, il le saura tout à fait.

MONSIEUR ORGON

Eh bien cette tête en si bon état, ne soutiendra-t-elle pas cette secousse-là ? je ne le crois pas de caractère à s'effaroucher là-dessus.

LISETTE

Le voici qui me cherche, ayez donc la bonté de me laisser le champ libre, il s'agit ici de mon chef-d'œuvre.

MONSIEUR ORGON

Cela est juste, retirons-nous.

SILVIA

De tout mon cœur.

MARIO

Allons

SCÈNE 6

LISETTE, ARLEQUIN

ARLEQUIN

Enfin, ma Reine, je vous vois et je ne vous quitte plus, car j'ai trop pâti d'avoir manqué de votre présence, et j'ai cru que vous esquiviez la mienne.

LISETTE

Il faut vous avouer, Monsieur, qu'il en était quelque chose.

ARLEQUIN

Comment donc, ma chère âme, élixir de mon cœur, avez-vous entrepris la fin de ma vie ?

LISETTE

Non, mon cher, la durée m'en est trop précieuse.

ARLEQUIN

Ah, que ces paroles me fortifient !

LISETTE

Et vous ne devez point douter de ma tendresse.

ARLEQUIN

Je voudrais bien pouvoir baiser ces petits mots-là, et les cueillir sur votre bouche avec la mienne.

LISETTE

Mais vous me pressiez sur notre mariage, et mon père ne m'avait pas encore permis de vous répondre ; je viens de lui parler, et j'ai son aveu [17] pour vous dire que vous pouvez lui demander ma main quand vous voudrez.

ARLEQUIN

Avant que je la demande à lui, souffrez que je la demande à vous, je veux lui rendre mes grâces de la charité qu'elle aura de vouloir bien entrer dans la mienne qui en est véritablement indigne.

LISETTE

Je ne refuse pas de vous la prêter un moment, à condition que vous la prendrez pour toujours.

ARLEQUIN

Chère petite main rondelette et potelée, je vous prends sans marchander, je ne suis pas en peine de l'honneur que vous me ferez, il n'y a que celui que je vous rendrai qui m'inquiète.

LISETTE

Vous m'en rendrez plus qu'il ne m'en faut.

ARLEQUIN

Ah que nenni, vous ne savez pas cette arithmétique-là aussi bien que moi.

LISETTE

Je regarde pourtant votre amour comme un présent du ciel.

ARLEQUIN

Le présent qu'il vous a fait ne le ruinera pas, il est bien mesquin.

LISETTE

Je ne le trouve que trop magnifique.

ARLEQUIN

C'est que vous ne le voyez pas au grand jour.

LISETTE

Vous ne sauriez croire combien votre modestie m'embarrasse.

ARLEQUIN

Ne faites point dépense d'embarras, je serais bien effronté, si je n'étais modeste.

LISETTE

Enfin, Monsieur, faut-il vous dire que c'est moi que votre tendresse honore?

ARLEQUIN

Ahi, ahi, je ne sais plus où me mettre.

LISETTE

Encore une fois, Monsieur, je me connais.

ARLEQUIN

Hé, je me connais bien aussi, et je n'ai pas là une fameuse connaissance, ni vous non plus, quand vous l'aurez faite; mais, c'est là le diable que de me connaître, vous ne vous attendez pas au fond du sac [18].

LISETTE, *à part.*

Tant d'abaissement n'est pas naturel! *Haut.* D'où vient [19] me dites-vous cela?

ARLEQUIN

Et voilà où gît le lièvre.

LISETTE

Mais encore? Vous m'inquiétez · est-ce que vous n'êtes pas?...

ARLEQUIN

Ahi, ahi, vous m'ôtez ma couverture.

LISETTE

Sachons de quoi il s'agit?

ARLEQUIN, *à part.*

Préparons un peu cette affaire-là... *Haut.* Madame, votre amour est-il d'une constitution bien robuste, soutiendra-t-il bien la fatigue, que je vais lui donner, un mauvais gîte lui fait-il peur? je vais le loger petitement.

LISETTE

Ah, tirez-moi d'inquiétude ! en un mot qui êtes-vous ?

ARLEQUIN

Je suis... n'avez-vous jamais vu de fausse monnaie ? savez-vous ce que c'est qu'un louis d'or faux ? Eh bien, je ressemble assez à cela.

LISETTE

Achevez donc, quel est votre nom ?

ARLEQUIN

Mon nom ! *À part.* Lui dirai-je que je m'appelle Arlequin ? non ; cela rime trop avec coquin.

LISETTE

Eh bien ?

ARLEQUIN

Ah dame, il y a un peu à tirer ici [20] ! Haïssez-vous la qualité de soldat ?

LISETTE

Qu'appelez-vous un soldat ?

ARLEQUIN

Oui, par exemple un soldat d'antichambre.

LISETTE

Un soldat d'antichambre ! ce n'est donc point Dorante à qui je parle enfin ?

ARLEQUIN

C'est lui qui est mon capitaine.

LISETTE

Faquin !

ARLEQUIN, *à part.*

Je n'ai pu éviter la rime

LISETTE

Mais voyez ce magot[21] ; tenez !

ARLEQUIN, *à part*

La jolie culbute que je fais là !

LISETTE

Il y a une heure que je lui demande grâce, et que je m'épuise en humilités pour cet animal-là !

ARLEQUIN

Hélas, Madame, si vous préfériez l'amour à la gloire, je vous ferais bien autant de profit qu'un Monsieur.

LISETTE, *riant.*

Ah, ah, ah, je ne saurais pourtant m'empêcher d'en rire avec sa gloire ; et il n'y a plus que ce parti-là à prendre... Va, va, ma gloire te pardonne, elle est de bonne composition.

ARLEQUIN

Tout de bon, charitable Dame, ah, que mon amour vous promet de reconnaissance !

LISETTE

Touche là Arlequin ; je suis prise pour dupe : le soldat d'antichambre de Monsieur vaut bien la coiffeuse de Madame.

ARLEQUIN

La coiffeuse de Madame !

LISETTE

C'est mon capitaine ou l'équivalent.

ARLEQUIN

Masque !

LISETTE

Prends ta revanche.

ARLEQUIN

Mais voyez cette magotte, avec qui, depuis une heure, j'entre en confusion de ma misère !

LISETTE

Venons au fait ; m'aimes-tu ?

ARLEQUIN

Pardi oui, en changeant de nom, tu n'as pas changé de visage, et tu sais bien que nous nous sommes promis fidélité en dépit de toutes les fautes d'orthographe.

LISETTE

Va, le mal n'est pas grand, consolons-nous ; ne faisons semblant de rien, et n'apprêtons[22] point à rire ;

il y a apparence que ton maître est encore dans l'erreur à l'égard de ma maîtresse, ne l'avertis de rien, laissons les choses comme elles sont : je crois que le voici qui entre. Monsieur, je suis votre servante.

ARLEQUIN

Et moi votre valet, Madame. *Riant.* Ha, ha, ha !

SCÈNE 7

DORANTE, ARLEQUIN

DORANTE

Eh bien, tu quittes la fille d'Orgon, lui as-tu dit qui tu étais ?

ARLEQUIN

Pardi oui, la pauvre enfant, j'ai trouvé son cœur plus doux qu'un agneau, il n'a pas soufflé [23]. Quand je lui ai dit que je m'appelais Arlequin, et que j'avais un habit d'ordonnance [24] : Eh bien mon ami, m'a-t-elle dit, chacun a son nom dans la vie, chacun a son habit, le vôtre ne vous coûte rien, cela ne laisse pas que d'être gracieux.

DORANTE

Quelle sotte histoire me contes-tu là ?

ARLEQUIN

Tant y a que [25] je vais la demander en mariage.

DORANTE

Comment, elle consent à t'épouser ?

ARLEQUIN

La voilà bien malade.

DORANTE

Tu m'en imposes[26], elle ne sait pas qui tu es.

ARLEQUIN

Par la ventrebleu[27], voulez-vous gager que je l'épouse avec la casaque[28] sur le corps, avec une souguenille[29], si vous me fâchez ? je veux bien que vous sachiez qu'un amour de ma façon, n'est point sujet à la casse[30], que je n'ai pas besoin de votre friperie[31] pour pousser ma pointe[32], et que vous n'avez qu'à me rendre la mienne.

DORANTE

Tu es un fourbe, cela n'est pas concevable, et je vois bien qu'il faudra que j'avertisse Monsieur Orgon.

ARLEQUIN

Qui ? notre père, ah, le bon homme, nous l'avons dans notre manche ; c'est le meilleur humain, la meilleure pâte d'homme !... vous m'en direz des nouvelles.

DORANTE

Quel extravagant ! as-tu vu Lisette ?

ARLEQUIN

Lisette ! non ; peut-être a-t-elle passé devant mes yeux, mais un honnête homme ne prend pas garde à une chambrière : je vous cède ma part de cette attention-là.

DORANTE

Va-t'en, la tête te tourne.

ARLEQUIN

Vos petites manières sont un peu aisées, mais c'est la grande habitude qui fait cela. Adieu, quand j'aurai épousé, nous vivrons but à but[33] ; votre soubrette arrive. Bonjour, Lisette, je vous recommande Bourguignon, c'est un garçon qui a quelque mérite.

SCÈNE 8

DORANTE, SILVIA

DORANTE, *à part.*

Qu'elle est digne d'être aimée ! pourquoi faut-il que Mario m'ait prévenu[34] ?

SILVIA

Où étiez-vous donc Monsieur ? Depuis que j'ai quitté Mario je n'ai pu vous retrouver pour vous rendre compte de ce que j'ai dit à Monsieur Orgon.

DORANTE

Je ne me suis pourtant pas éloigné ; mais de quoi s'agit-il ?

SILVIA, *à part.*

Quelle froideur ! *Haut.* J'ai eu beau décrier votre valet et prendre sa conscience à témoin de son peu de mérite, j'ai eu beau lui représenter[35] qu'on pouvait du moins reculer le mariage, il ne m'a pas seulement écoutée ; je vous avertis même qu'on parle d'envoyer[36] chez le notaire, et qu'il est temps de vous déclarer.

DORANTE

C'est mon intention ; je vais partir *incognito,* et je laisserai un billet qui instruira Monsieur Orgon de tout.

SILVIA, *à part.*

Partir ! ce n'est pas là mon compte.

DORANTE

N'approuvez-vous pas mon idée ?

SILVIA

Mais... pas trop.

DORANTE

Je ne vois pourtant rien de mieux dans la situation où je suis, à moins que de parler moi-même, et je ne saurais m'y résoudre ; j'ai d'ailleurs d'autres raisons qui veulent que je me retire : je n'ai plus que faire ici.

SILVIA

Comme je ne sais pas vos raisons, je ne puis ni les approuver, ni les combattre ; et ce n'est pas à moi à vous les demander.

DORANTE

Il vous est aisé de les soupçonner, Lisette.

SILVIA

Mais je pense, par exemple, que vous avez du dégoût pour la fille de Monsieur Orgon.

DORANTE

Ne voyez-vous que cela ?

SILVIA

Il y a bien encore certaines choses que je pourrais supposer ; mais je ne suis pas folle, et je n'ai pas la vanité de m'y arrêter.

DORANTE

Ni le courage d'en parler ; car vous n'auriez rien d'obligeant à me dire : adieu Lisette.

SILVIA

Prenez garde, je crois que vous ne m'entendez pas, je suis obligée de vous le dire.

DORANTE

À merveille ! et l'explication ne me serait pas favorable, gardez-moi le secret jusqu'à mon départ.

SILVIA

Quoi, sérieusement, vous partez ?

DORANTE

Vous avez bien peur que je ne change d'avis.

SILVIA

Que vous êtes aimable d'être si bien au fait !

DORANTE

Cela est bien naïf[37]. Adieu. *Il s'en va.*

SILVIA, *à part.*

S'il part, je ne l'aime plus, je ne l'épouserai jamais... *Elle le regarde aller.* Il s'arrête pourtant, il rêve, il regarde si je tourne la tête, je ne saurais le rappeler moi... Il serait pourtant singulier qu'il partît après tout ce que j'ai fait ?... Ah, voilà qui est fini, il s'en va, je n'ai pas tant de pouvoir sur lui que je le croyais : mon frère est un maladroit, il s'y est mal pris, les gens indifférents gâtent tout. Ne suis-je pas bien avancée ? quel dénouement !.. Dorante reparaît pourtant ; il me semble qu'il revient, je me dédis donc, je l'aime encore... Feignons de sortir, afin qu'il m'arrête : il faut bien que notre réconciliation lui coûte quelque chose.

DORANTE, *l'arrêtant.*

Restez, je vous prie, j'ai encore quelque chose à vous dire.

SILVIA

À moi, Monsieur ?

DORANTE

J'ai de la peine à partir sans vous avoir convaincue que je n'ai pas tort de le faire.

SILVIA

Eh, Monsieur, de quelle conséquence est-il de vous justifier auprès de moi ? Ce n'est pas la peine, je ne suis qu'une suivante, et vous me le faites bien sentir.

DORANTE

Moi, Lisette ! est-ce à vous à vous plaindre ? vous qui me voyez prendre mon parti [38] sans me rien dire.

SILVIA

Hum, si je voulais je vous répondrais bien là-dessus.

DORANTE

Répondez donc, je ne demande pas mieux que de me tromper. Mais que dis-je ! Mario vous aime.

SILVIA

Cela est vrai.

DORANTE

Vous êtes sensible à son amour, je l'ai vu par l'extrême envie que vous aviez tantôt que je m'en allasse, ainsi, vous ne sauriez m'aimer.

SILVIA

Je suis sensible à son amour, qui est-ce qui vous l'a dit ? je ne saurais vous aimer, qu'en savez-vous ? vous décidez bien vite.

DORANTE

Eh bien, Lisette, par tout ce que vous avez de plus cher au monde, instruisez-moi de ce qui en est, je vous en conjure.

SILVIA

Instruire un homme qui part !

DORANTE

Je ne partirai point.

SILVIA

Laissez-moi, tenez, si vous m'aimez, ne m'interrogez point ; vous ne craignez que mon indifférence, et vous êtes trop heureux que je me taise. Que vous importent mes sentiments ?

DORANTE

Ce qu'ils m'importent, Lisette ? peux-tu douter encore que je ne t'adore ?

SILVIA

Non, et vous me le répétez si souvent que je vous crois ; mais pourquoi m'en persuadez-vous, que voulez-vous que je fasse de cette pensée-là Monsieur ? je vais vous parler à cœur ouvert, vous m'aimez, mais votre amour n'est pas une chose bien sérieuse pour vous, que de ressources n'avez-vous pas pour vous en défaire ! la distance qu'il y a de vous à moi, mille objets que vous allez trouver sur votre chemin, l'envie qu'on aura de vous rendre sensible, les amusements d'un homme de votre condition, tout va vous ôter cet amour dont vous m'entretenez impitoyablement, vous en rirez peut-être au sortir d'ici, et vous aurez raison, mais moi, Monsieur, si je m'en ressouviens, comme j'en ai peur, s'il m'a frappée, quel secours aurai-je contre l'impression qu'il m'aura faite ? qui est-ce qui me dédommagera de votre perte ? qui voulez-vous que mon cœur mette à votre place ? savez-vous bien que si je vous aimais, tout ce qu'il y a de plus grand dans le monde ne me toucherait plus ? Jugez donc de l'état où je resterais, ayez la générosité de me cacher votre amour : moi qui vous parle, je me ferais un scrupule de vous dire que je vous aime, dans les dispositions où vous êtes, l'aveu de mes sentiments pourrait exposer[39] votre raison, et vous voyez bien aussi que je vous les cache.

DORANTE

Ah, ma chère Lisette, que viens-je d'entendre ! tes paroles ont un feu qui me pénètre, je t'adore, je te respecte, il n'est ni rang, ni naissance, ni fortune qui ne disparaisse devant une âme comme la tienne ; j'aurais honte que mon orgueil tînt encore contre toi, et mon cœur et ma main t'appartiennent.

SILVIA

En vérité ne mériteriez-vous pas que je les prisse, ne faut-il pas être bien généreuse pour vous dissimuler le plaisir qu'ils me font, et croyez-vous que cela puisse durer ?

DORANTE

Vous m'aimez donc ?

SILVIA

Non, non ; mais si vous me le demandez encore, tant pis pour vous.

DORANTE

Vos menaces ne me font point de peur.

SILVIA

Et Mario, vous n'y songez donc plus ?

DORANTE

Non, Lisette ; Mario ne m'alarme plus, vous ne l'aimez point, vous ne pouvez plus me tromper, vous avez le cœur vrai, vous êtes sensible à ma tendresse, je ne saurais en douter au transport [40] qui m'a pris, j'en suis sûr, et vous ne sauriez plus m'ôter cette certitude-là.

SILVIA

Oh, je n'y tâcherai [41] point, gardez-la, nous verrons ce que vous en ferez.

DORANTE

Ne consentez-vous pas d'être à moi ?

SILVIA

Quoi, vous m'épouserez malgré ce que vous êtes, malgré la colère d'un père, malgré votre fortune ?

DORANTE

Mon père me pardonnera dès qu'il vous aura vue, ma fortune nous suffit à tous deux, et le mérite vaut bien la naissance : ne disputons point, car je ne changerai jamais.

SILVIA

Il ne changera jamais ! savez-vous bien que vous me charmez, Dorante ?

DORANTE

Ne gênez[42] donc plus votre tendresse, et laissez-la répondre...

SILVIA

Enfin, j'en suis venue à bout; vous, vous ne changerez jamais?

DORANTE

Non, ma chère Lisette.

SILVIA

Que d'amour!

SCÈNE DERNIÈRE

MONSIEUR ORGON,
SILVIA, DORANTE, LISETTE, ARLEQUIN, MARIO

SILVIA

Ah, mon père vous avez voulu que je fusse à Dorante, venez voir votre fille vous obéir avec plus de joie qu'on n'en eut jamais.

DORANTE

Qu'entends-je! vous son père, Monsieur?

SILVIA

Oui, Dorante, la même idée de nous connaître nous est venue à tous deux, après cela, je n'ai plus rien à vous dire, vous m'aimez, je n'en saurais douter, mais à votre tour, jugez de mes sentiments pour vous, jugez du cas que j'ai fait de votre cœur par la délicatesse avec laquelle j'ai tâché de l'acquérir.

MONSIEUR ORGON

Connaissez-vous cette lettre-là ? Voilà par où j'ai appris votre déguisement, qu'elle n'a pourtant su que par vous.

DORANTE

Je ne saurais vous exprimer mon bonheur, Madame ; mais ce qui m'enchante le plus, ce sont les preuves que je vous ai données de ma tendresse.

MARIO

Dorante me pardonne-t-il la colère où j'ai mis Bourguignon ?

DORANTE

Il ne vous la pardonne pas, il vous en remercie.

ARLEQUIN

De la joie, Madame ! Vous avez perdu votre rang, mais vous n'êtes point à plaindre, puisque Arlequin vous reste.

LISETTE

Belle consolation ! il n'y a que toi qui gagnes à cela.

ARLEQUIN

Je n'y perds pas ; avant notre connaissance, votre dot valait mieux que vous, à présent vous valez mieux que votre dot. Allons saute Marquis !

DOSSIER

CHRONOLOGIE
1688-1763

1688. 4 février : naissance à Paris de Pierre Carlet, fils de Nicolas Carlet, et de Marie Anne Bullet. Son père est un petit fonctionnaire. Par sa mère, Marivaux est lié au milieu artistique de la capitale.

1698. 1er décembre : Nicolas Carlet a obtenu la charge de contrôleur de la Monnaie de Riom. Marivaux le suit, et y demeure jusqu'en 1712.

1704. 21 juin : Nicolas Carlet est nommé directeur de la Monnaie de Riom. Marivaux fait sans doute ses études au collège des Oratoriens.

1710. 30 novembre : première inscription à l'École de droit de Paris.

1712. 22 mars : approbation de la première pièce de Marivaux, *Le Père prudent et équitable,* donnée dans un théâtre de société à Limoges.
8 décembre : demande d'approbation pour *Pharsamon ou les Nouvelles Folies romanesques.* C'est un roman parodique, publié seulement en 1737.

1713. Janvier ou février : publication des deux premiers livres des *Effets surprenants de la sympathie,* pastiche des grands romans baroques.
30 avril : dernière inscription à l'École de droit jusqu'en 1721.

1714. Publication de *La Voiture embourbée,* variation mondaine sur *Don Quichotte.*
Publication du *Bilboquet,* récit satirique, et des derniers livres des *Effets surprenants de la sympathie.*

1715. Alors qu'éclate la seconde Querelle des Anciens et des Modernes, Marivaux se range avec énergie dans le parti des

Modernes. Mais son *Iliade travestie* est publiée trop tard, fin 1716, quand la Querelle s'est publiquement apaisée (le pseudonyme de Marivaux paraît pour la première fois dans l'épître dédicatoire). Et le *Télémaque travesti*, en 1736.

1716. Marivaux, après une intense production, et une entrée ratée dans la vie littéraire, va produire peu jusqu'en 1722, et chercher sa voie.

1717. 7 juillet : contrat de mariage avec Colombe Bollogne, née en 1683. C'est pour Marivaux, sans titre, ni revenu, ni emploi, un très bon parti.
Août : le *Mercure* commence à publier les *Lettres sur les habitants de Paris*, première contribution de Marivaux au journalisme.

1719. Naissance de la fille de Marivaux, Colombe-Prospère.
Mars : parution dans le *Mercure* des *Pensées sur la clarté du discours et sur le sublime.*
14 avril : mort du père de Marivaux.
Juillet : Marivaux souhaite succéder à son père à la Monnaie de Riom. Sa demande est rejetée.
5 août : Marivaux fait accepter par la Comédie-Française sa première (et dernière) tragédie (en vers) : *Annibal*.

1720. 3 mars : sa première pièce pour les Italiens, *L'Amour et la Vérité*, n'a qu'une représentation. Non publiée, elle a disparu.
17 octobre : *Arlequin poli par l'amour* (un acte) est le premier grand succès de Marivaux chez les Italiens (environ douze représentations).
16 décembre : *Annibal* à la Comédie-Française. Échec : trois représentations.
Marivaux est ruiné. Avec l'argent de son héritage et de la dot de sa femme, il a acheté des actions de Law, et subi la faillite du système.

1721. 30 avril : Marivaux songe à une carrière d'avocat, et prend une nouvelle inscription en droit, puis une autre le 31 juillet.
Juin : il lance un journal, sur le modèle du *Spectator* anglais, *Le Spectateur français*.

1722. Marivaux revient au théâtre, et tire désormais une bonne part de ses revenus des pièces qu'il offre principalement aux Italiens, et dans une moindre mesure à la Comédie-Française.
3 mai : *La Surprise de l'amour* (3 actes, T.-It.), seize représentations.

1723. 6 avril : *La Double Inconstance* (3 actes, T.-It), quinze représentations.
Mort de la femme de Marivaux (date indéterminée).

1724. 5 février : *Le Prince travesti ou l'Illustre Aventurier* (3 actes, T.-It.), dix-sept représentations.
8 juillet : *La Fausse Suivante ou le Fourbe puni* (3 actes, T.-It.), treize représentations.
2 décembre : *Le Dénouement imprévu* (un acte, C.-Fr.), six représentations.
Ces pièces de Marivaux, comme les suivantes, sont parallèlement données à la Cour (à Fontainebleau), source de revenus non négligeables.

1725. 5 mars : *L'Île des esclaves* (un acte, T.-It.), vingt et une représentations.
19 août : *L'Héritier de village* (un acte, T.-It), dix représentations.

1726. Travaille à son nouveau roman, *La Vie de Marianne.*

1727. 19 mars : *L'Indigent philosophe,* nouveau journal publié de mars à juillet.
11 septembre : *L'Île de la Raison ou les Petits Hommes* (3 actes, C.-Fr.), quatre représentations.
31 décembre : *La Seconde Surprise de l'amour* (3 actes, C.-Fr.), quatorze représentations.

1728. 22 avril : *Le Triomphe de Plutus* (un acte T.-It.), treize représentations.

1729. 18 juin : *La Nouvelle Colonie ou la Ligue des femmes* (3 actes, T.-It.), une représentation ; en est publiée seulement une version abrégée (un acte) en 1750.

1730. 23 janvier : *Le Jeu de l'amour et du hasard* (3 actes, T.-It.), quatorze représentations.
Avril : publication du *Jeu de l'amour et du hasard* dans le recueil du *Nouveau Théâtre italien,* chez Briasson.
La plupart des pièces de Marivaux continuent à être données à la Cour et sont régulièrement reprises par les Italiens.

1731. Juin (?) : publication de la première partie de *La Vie de Marianne ou les Aventures de Mme la Comtesse de* ***. Les parties II à VIII paraissent de 1734 à 1738.
5 novembre : *La Réunion des Amours* (un acte, C.-Fr.), dix représentations.

1732. 12 mars : *Le Triomphe de l'amour* (3 actes, T.-It.), six représentations.
8 juin : *Les Serments indiscrets* (5 actes, C.-Fr.), huit représentations.
25 juillet : *L'École des mères* (un acte, T.-It.), quinze représentations.

1733. 6 juin : *L'Heureux Stratagème* (3 actes, T.-It.), dix-huit représentations.

1734. Pendant trois ans environ, son activité littéraire s'intensifie alors que vont être enfin publiées (en 1736) certaines œuvres de jeunesse.
Janvier : début de la publication du dernier journal de Marivaux, *Le Cabinet du philosophe*.
Mai : première partie du *Paysan parvenu ou les Mémoires de M. ****. Marivaux a interrompu *La Vie de Marianne* pour ce nouveau roman d'inspiration plus comique et satirique.
16 août : *La Méprise* (un acte, T.-It.), trois représentations.
6 novembre : Marivaux se rapproche de la comédie de mœurs dans *Le Petit-Maître corrigé* (3 actes, C.-Fr.). C'est un échec : deux représentations.

1735. Avril : cinquième partie du *Paysan parvenu :* Marivaux laisse son roman inachevé.
9 mai : *La Mère confidente* (3 actes, T.-It.), dix-neuf représentations.

1736. Février : début de la publication du *Télémaque travesti,* écrit plus de vingt ans plus tôt.
11 juin : *Le Legs* (un acte, C.-Fr.), sept représentations.

1737. Janvier : début de publication (en Hollande) du *Pharsamon* (autre roman de jeunesse inspiré de *Don Quichotte*).
16 mars : *Les Fausses Confidences* (3 actes, T.-It.), six représentations.

1738. 7 juillet : *La Joie imprévue* (un acte, T.-It.), assez bien accueillie.

1739. 13 janvier : *Les Sincères* (un acte, T.-It.), succès médiocre.

1740. 19 novembre : *L'Épreuve* (un acte, T.-It.), dix-sept représentations.
Marivaux cesse à peu près d'écrire ; ses pièces sont néanmoins régulièrement reprises, publiées, et ses romans sont amplement réédités et traduits.

1742. Mars : mise en vente des tomes IX, X et XI de *La Vie de Marianne*. Le roman reste inachevé.
10 décembre : Marivaux est élu à l'Académie française. Parmi les rares publications des vingt dernières années, figurent les textes des discours prononcés à l'Académie sur divers sujets politiques, moraux ou littéraires. Marivaux voit ses revenus se tarir et il contracte des emprunts souvent considérables.

1744. 19 octobre : *La Dispute* (un acte, C.-Fr.), une représentation

1745. La fille unique de Marivaux entre au couvent.

1746. 6 août : *Le Préjugé vaincu* (un acte, C.-Fr.), sept représentations.

1750. Décembre : le *Mercure* publie *La Colonie*, version en un acte de *La Nouvelle Colonie* (jouée sans succès en 1729).

1755. 24 août : *La Femme fidèle* (un acte) est jouée dans un théâtre de société. Des parties du manuscrit sont retrouvées au XIXe siècle.

1757 Marivaux donne aux Comédiens-Français le manuscrit de *L'Amante frivole*, qu'ils ne jouent pas et qu'ils perdent.
Mars : le *Mercure* publie *Félicie*.
Novembre : *Le Conservateur* publie sans nom d'auteur *Les Acteurs de bonne foi* (un acte).

1758. Publication en 7 volumes du *Théâtre de M. de Marivaux*. Cette édition comporte *Les Acteurs de bonne foi* et *Félicie* (un acte)

1761. *Le Mercure* publie *La Provinciale* (un acte, sans nom d'auteur).

1763. 12 février : mort de Marivaux. Il ne laisse que des dettes

J.-P. S

NOTICE

Le *Jeu* est une comédie en trois actes, en prose, elle est donnée à la Comédie-Italienne, elle ne dévoile aucun « caractère » : voilà qui en 1730 suffit à la caractériser négativement. Marivaux qui est un auteur populaire, célèbre, au point de pouvoir vivre de sa plume, s'impose lui aussi négativement par rapport à la culture officielle (du moins savante), aux attentes des critiques, aux modèles poétiques hérités du classicisme. En marge, il l'est d'emblée en pratiquant d'abord le roman, la parodie, puis les feuilles périodiques, en s'engageant un peu tardivement en faveur des Modernes. Sa rencontre avec les Comédiens-Italiens est décisive : il se découvre auteur de théâtre avec son *Arlequin poli par l'amour*, en 1720, et obtient bientôt une série de succès. Dans la première moitié du siècle, si l'on prend en compte aussi ce qu'il donne aux Comédiens-Français, Marivaux est l'auteur de comédies le plus joué, et il trouve un public à peu près aussi nombreux que Voltaire.

Joué quatorze fois dans la première série, vite donné à la Cour, le *Jeu* n'attire pas particulièrement l'attention des critiques : assez favorables, ils relèvent le comique et les jeux de scène d'Arlequin, s'interrogent sur la vraisemblance du déguisement et sur l'utilité du troisième acte, et sont sensibles aux implications scandaleuses d'un mariage avec un domestique. Le *Jeu* s'impose progressivement comme la pièce de Marivaux la plus jouée au XVIIIe siècle (42 000 spectateurs pour 101 représentations jusqu'en 1750). Il est adopté par la Comédie-Française à partir de 1791, et fait partie des six pièces que le XIXe siècle retient de Marivaux (le Premier Empire, avec Mlle Mars, l'impose au répertoire, le Second Empire lui est spécialement favorable). Il fait aujourd'hui figure de grand classique, et est universellement repris, aussi bien à l'étranger qu'en France, surtout après la Deuxième Guerre mondiale (en 1988, il a déjà été donné 1 547 fois à la Comédie-Française).

Marivaux a donné à ses personnages une culture et une conscience littéraire : comme les héros des romans rococo, ils utilisent les références à la littérature comme des signes de reconnaissance mondaine mais aussi comme des médiateurs possibles d'une expérience de soi (ainsi dans la première scène, Lisette réplique à Silvia en démentant la maxime (113) de La Rochefoucauld : « Il y a de bons mariages, mais il n'y en a point de délicieux »). Marivaux sollicite en miroir la connivence du spectateur par une série d'allusions. Le principe de l'intrigue, le double déguisement, possèdent un statut assez proche des rôles ou des masques du Théâtre-Italien : il participe d'une convention reconnue. Le déguisement du valet en maître était une source traditionnelle d'effets comiques dans l'ancien Théâtre-Italien ou à la foire. Legrand le combine au déguisement de la servante en maîtresse pour susciter chez les deux amants une égale infidélité : c'est *L'Épreuve réciproque*, 1711 (situation exploitée aussi par Lesage dans *Gil Blas* en 1715). Dans *Le Galant Coureur* de Legrand, 1722, ce sont les maîtres qui se déguisent chacun de leur côté pour mieux s'observer. La combinaison des quatre déguisements est directement inspirée à Marivaux par *Les Amants déguisés* d'Aunillon, représentée à la Comédie-Française en 1728 : les maîtres se plaisent d'emblée sous leurs costumes de valets.

L'appel à la mémoire du spectateur concerne surtout le personnage d'Arlequin, en particulier quand est posée la question de son identité. L'idée de masque social est ainsi subtilement associée à la perception de son rôle théâtral, rendu sensible par son masque noir et par une série de réminiscences littéraires. Par exemple, l'image des « fautes d'orthographe », invoquée à deux reprises (II, 5 et III, 6) pour distinguer la réalité du sentiment ou de la « figure » de la convention sociale, fait écho à *La Matrone d'Éphèse* de Fatouville (1682), qui avait été reprise avec succès à la Comédie-Italienne en 1718 de l'ancien Théâtre-Italien : Arlequin, après des « je vous aimerai, je vous caresserai », enchaînait par un « je vous rosserai », et devant l'étonnement de Colombine, se rétractait : « Ah ! je vous demande pardon, c'est une faute d'orthographe. » De même, les détours métaphoriques empruntés par Arlequin pour révéler son identité à Lisette, rappellent les plaisanteries de l'ancien Théâtre-

Italien ou de la foire : ainsi quand Arlequin assimile le valet à un « soldat d'antichambre », ou quand il craint de voir son nom rimer avec coquin (comme il était arrivé avec Scaramouche dans un opéra-comique de Piron, *L'Antre de Trophonius,* 1722). Enfin, le « Allons saute Marquis », qui conclut la pièce sur une note euphorique et dansante, évoque un monologue du *Joueur* (1696) de Regnard qui le répète trois fois : façon de rétablir le contact avec le spectateur et d'intégrer le *Jeu* à sa culture.

Anticlassique par sa matière, son objet, sa poétique, Marivaux ne se conforme pas moins dans le *Jeu* aux principes de la dramaturgie classique : comme détournés à ses propres fins. Un lieu unique et fortement intégré au propos de la pièce : l'intérieur d'un hôtel parisien. Une intrigue simple, organisée autour d'une action principale et dont la progression est assez claire pour suggérer qu'elle se produit en une journée. L'exposition est confiée aux trois premières scènes : la jeune Silvia s'inquiète de l'arrivée de celui qu'elle doit épouser et qu'elle ne connaît pas ; pour pouvoir l'observer, elle obtient de son père, Monsieur Orgon, de prendre la place de sa servante, Lisette, et de mettre Lisette à sa place ; le père apprend ensuite au frère de Silvia, Mario, que le fiancé, Dorante, a eu la même idée, qu'il paraîtra sous les habits de son valet, et que ce valet (Arlequin) jouera son rôle. Orgon et Mario décident de laisser faire le hasard pour donner sa chance à l'amour.

Les rapports entre Silvia et Dorante sont alors au centre de l'action. Les scènes où ils se retrouvent seuls constituent l'armature de la pièce. En I, 6, leur première rencontre est celle de la « surprise de l'amour » : séduction réciproque qui contrevient à tout ce qu'ils avaient prévu. Au début de l'acte II, les confidences de Lisette à Monsieur Orgon suggèrent la progression de ce sentiment pendant le premier entracte, et une seconde rencontre (II, 9) montre le trouble des deux amants : les voilà épris des domestiques de ceux qu'ils sont venus épouser ! La rencontre suivante (II, 12) marque une étape supplémentaire dans leur relation : Dorante déclare son amour et révèle son identité véritable. Silvia est au comble de la joie : « je vois clair dans mon cœur ». Elle se sait aimée, peut s'avouer son amour.

Les autres éléments de l'action servent à favoriser ou à éclairer cet itinéraire sentimental. Monsieur Orgon et Mario font office de « meneurs de jeu » : le père accueille le double déguisement avec bienveillance, puis oblige Lisette et Silvia à le poursuivre, alors qu'elles voudraient l'abandonner. Enfin, avec Mario, ils amènent Silvia à prendre conscience de son penchant pour le pseudo-Arlequin : l'ayant surprise avec Dorante à ses pieds, ils feignent de s'étonner de sa complaisance et du peu de goût qu'elle manifeste pour celui qu'elle est censée devoir épouser (le faux Dorante joué par Arlequin). L'intrigue amoureuse d'Arlequin et de Lisette joue aussi son rôle dans l'aventure des maîtres : elle interdit à Dorante et à Silvia de s'intéresser un moment à ceux qu'ils sont censés devoir épouser, elle préfigure ce qui les tente et les inquiète (ce qu'ils croient un mariage socialement mixte entre valet et maître) ; elle les amène à mesurer leurs propres sentiments.

Le troisième acte conduit à son terme l'évolution intérieure des personnages. Silvia, avec l'autorisation de Monsieur Orgon, veut en effet obtenir de Dorante la preuve d'amour la plus grande possible : qu'il la demande en mariage sous son déguisement de servante. Avant cela, les domestiques font une expérience inverse : alors qu'ils croyaient chacun faire un mariage avantageux, une fois leur identité avouée, ils découvrent dans l'amour la preuve que leur être ne dépend pas de leur « habit ». Aidée par Mario qui feint d'être épris d'elle, et par Arlequin qui annonce à son maître son mariage avec la (pseudo)-maîtresse de Lisette, Silvia risque le tout pour le tout dans la dernière scène, et, au terme d'une déclaration d'amour indirecte, conduit Dorante à tout sacrifier à l'amour : il est prêt à épouser une servante. La dernière scène, où chacun, transformé par l'amour retrouve son rôle social, se conclut par un double mariage.

Comme Frédéric Deloffre et Françoise Rubellin pour les éditions Garnier, Michel Gilot pour les éditions Larousse (1991) et Henri Coulet et Michel Gilot pour l'édition du *Théâtre* de la Pléiade, est ici reproduit le texte de la première édition de la pièce, qui porte la page de titre suivante : NOUVEAU THEATRE ITALIEN [encadré d'un filet]/LE JEU DE L'AMOUR/ET/DU HAZARD/COMÉDIE EN TROIS ACTES/*Representée pour la premiere fois par les/Comediens Italiens ordinaires du Roi,/le 23. Janvier 1730/*[petit ornement]/ A PARIS,/CHEZ BRIASSON, rue saint Jacques,/à la Science [filet]/ M. DCC. XXX/*Avec Approbation & Privilege du Roy.* [4 pages non numérotées + 116 pages de textes numérotés.] La pièce figure dans *Le Nouveau Théâtre Italien ou Recueil général des comédies représentées par les Comédiens Italiens,* nouvelle édition, t. 8, 1733, Paris, Briasson, qui réunit des textes autonomes, portant des dates de publication distinctes, et débités par ailleurs séparément.

Puisque Marivaux, une fois son texte publié, ne le revoyait jamais, cette édition est la plus proche du manuscrit de l'auteur. L'orthographe a été modernisée, mais, sauf pour des négligences typographiques, la ponctuation originale a été conservée. Elle correspond à un découpage des unités sémantiques de la phrase plus proche de la pratique de la langue parlée que de la logique grammaticale qui prévaut à l'écrit : elle offre un témoignage significatif sur la manière dont a pu être lu, mais surtout joué *Le Jeu de l'amour et du hasard*. Elle impose un débit, un rythme, un enchaînement des répliques en accord avec le style et la dramaturgie de Marivaux.

Les choix de l'édition originale se distinguent sur quatre points principaux :

a) Les compléments ne sont pas isolés, conformément aux pratiques de la langue parlée. Ainsi en I, 1, peut-on lire : « C'est que j'ai cru que dans cette occasion-ci, vos sentiments ressembleraient à ceux de tout le monde ». Ou encore : « Ce n'est pas mon dessein; mais dans le fond voyons, quel mal ai-je fait ».

b) Va vers la même fluidité, la séparation d'ensembles juxtaposés par une simple virgule (au lieu du point virgule), d'éléments autonomes par un simple point virgule (au lieu du point) : de longues répliques sont à envisager dans une unité de souffle ou d'inspiration, avec des pauses aussi légères que possibles. L'absence de marque d'interrogation dans des expressions du type « que sais-je », ou l'absence de marques exclamatives suggèrent de même une intonation plus unie.

c) La position de la ponctuation impose une mélodie spécifique. Ainsi dans : « Les hommes ne se contrefont-ils pas? surtout quand ils ont de l'esprit, n'en ai-je pas vu moi, qui paraissaient, avec leurs amis, les meilleures gens du monde? », « surtout quand ils ont de l'esprit » n'est pas à dire sur un ton ascendant, mais descendant, comme une incise (I, 1). L'absence de ponctuation pour encadrer les termes d'adresse amène à les distinguer non par une pause mais par un changement de hauteur de la voix. Ainsi, III, 8, Silvia : « que voulez-vous que je fasse de cette pensée-là Monsieur? »

d) La présence d'une ponctuation entre la proposition principale et la complétive est conforme aux habitudes de l'époque; mais elle suggère aussi un découpage spécifique (I, 1, Lisette : « Quel mal ai-je fait de dire à Monsieur Orgon, que vous étiez bien aise d'être mariée ? »). Ces indications de pause se multiplient dans les scènes entre Arlequin et Lisette, surtout en II, 3 : dans leur imitation du langage de la galanterie, ils en font trop, et en accentuent ainsi la préciosité. En général, la virgule impose un détachement conforme aux habitudes syntaxiques de la langue parlée.

Le sens ou la valeur des mots et des expressions du *Jeu* ont été précisés grâce aux dictionnaires suivants, ainsi désignés :

A : *Dictionnaire de l'Académie française,* 4ᵉ édition, Paris, 1762.

F : *Dictionnaire critique de la langue française, par M. l'abbé Féraud,* Marseille, 1787.

R : *Nouveau dictionnaire français de Pierre Richelet,* Lyon, 1719.

T · *Dictionnaire universel français et latin,* Nancy, 1734 (dit de Trévoux).

Jean-Paul Sermain.

MISE EN SCÈNE

Dans l'histoire de la mise en scène du *Jeu de l'amour et du hasard*, son lien initial avec la Comédie-Italienne a été déterminant. Il a décidé de sa perception et de son sort au XVIIIe siècle. Son passage à la Comédie-Française pendant la Révolution s'est soldé par un effacement partiel de ce lien, et le XXe siècle s'est efforcé de le retrouver et d'en tirer toutes les conséquences dans ses interprétations.

On ne trouve pourtant, sur les mises en scène de la Comédie-Italienne, ni témoignage ni document. La fonction de metteur en scène n'existait pas, et les articles de journaux, rares, rendaient compte surtout de la pièce et de son accueil par le public. Néanmoins les théâtres au XVIIIe siècle sont assez peu nombreux, et possèdent des spécificités assez fortes et assez stables, pour qu'on puisse se faire une idée des conditions matérielles, culturelles et poétiques d'une représentation à la Comédie-Italienne : leur intégration par Marivaux dans le *Jeu* commande en retour toute mise en scène ultérieure.

Le Théâtre-Italien se caractérise traditionnellement par sa pratique d'une comédie « à l'impromptu », laissant les comédiens improviser à partir de canevas et développer des jeux de scène, les « lazzi » : « ce que l'Arlequin ou les autres acteurs masqués font au milieu d'une scène qu'ils interrompent par des épouvantes, ou par des badineries étrangères au sujet de la matière que l'on traite, et à laquelle on est toujours obligé de revenir [1]. » La « comédie jouée à l'impromptu » repose sur des rôles fixes : d'un côté des « emplois »

1. Louis Riccoboni, *Histoire du Théâtre-Italien*, Paris, s.d., chap. 6.

(comme les amoureux), de l'autre les « masques » (caractérisés aussi par leur costume, et des traits ridicules, souvent des accents régionaux).

De ces conventions, Marivaux dans le *Jeu* ne conserve que le personnage d'Arlequin : il est alors joué par Tomasso Vicentini (dit Thomassin), réputé pour son agilité et son expressivité comique. Sa présence est décisive dans la perception générale de la pièce, car elle suffit à interdire tout réalisme illusionniste : avec son demi-masque noir, sans doute son costume fait de losanges bariolés, il reste reconnaissable derrière son « habit de caractère » (sa livrée de valet) lui-même recouvert de la « friperie » de Dorante. Par son costume et des mimiques attendues (dans la scène de son arrivée, dans ses mouvements galants avec Lisette, ou au début de l'acte III quand il attend de Dorante l'autorisation d'un mariage avec la pseudo-Silvia), il crée avec le spectateur une connivence, conforme à ce qu'imposaient les conditions matérielles de la représentation, dont Marivaux a tiré parti pour créer une impression d'intimité. La vieille salle de l'hôtel de Bourgogne[1] qui avait été attribuée aux Comédiens-Italiens installait acteurs et spectateurs dans une grande proximité physique et affective : les spectateurs encombrent la scène ou la surplombent, mais aussi bien ils se font face dans les loges ou se côtoient debout au parterre, et ils appartiennent à un groupe assez restreint pour se reconnaître et surtout pour être familiers des comédiens qui portent le même nom, et les mêmes costumes à la ville et à la scène.

De ces acteurs formés à l'école de l'impromptu, Marivaux pouvait attendre qu'ils saisissent la logique profonde de son dialogue. « [Dans] la comédie jouée à l'impromptu le meilleur acteur dépend absolument de celui avec lequel il dialogue ; s'il se trouve avec un acteur qui ne sache pas saisir avec précision le moment de la réplique ou qu'il l'interrompe mal à propos, son discours languit, ou la vivacité de ses pensées est étouffée. La figure, la mémoire, la voix, le sentiment même ne suffisent donc pas au comédien qui veut jouer à l'impromptu, il ne peut exceller s'il n'a une imagination vive et fertile, une grande facilité de s'exprimer, s'il ne possède toutes les délicatesses de la langue[2]. »

Alors que sont reprochés aux Comédiens-Français leur raideur

1. Henri Lagrave, *Le Théâtre et le public à Paris*, Klincksieck, 1972 p 86-91
2. Louis Riccoboni, *op. cit.*, p 61-62

face au public, et leur souci exclusif de rendre les effets littéraires de chaque réplique, les Comédiens-Italiens avaient appris à jouer en fonction de leurs partenaires, à articuler leur réplique sur celle de l'interlocuteur, à participer à la dynamique de la scène. Ils savaient s'abstenir de ciseler chaque repartie, de faire apparaître ce sens par-derrière qu'il appartient au seul spectateur de repérer, comme l'explique Marivaux : « Il faut que les acteurs ne paraissent jamais sentir la valeur de ce qu'ils disent, et qu'en même temps les spectateurs la sentent et la démêlent à travers l'espèce de nuage dont l'auteur a dû envelopper leur discours[1]. » Ce « nuage », Marivaux semble l'avoir en partie obtenu de l'accent ou de l'intonation étrangère que les acteurs de Lelio (Luigi Riccoboni) avaient conservés. La troupe était venue à Paris en 1716 à l'appel du Régent, qui répondait ainsi à l'expulsion de l'ancienne troupe italienne décidée par Louis XIV en 1697. En 1730, le *capocomico*, Luigi Riccoboni, s'était retiré avec sa femme Flaminia, et la troupe s'était regroupée autour de son Arlequin, et de Silvia Baletti, qui a été la première Silvia, et qui semble avoir au mieux réalisé l'idéal marivaudien d'une diction à la fois directe (sans arrière-pensée), et légèrement voilée : elle « a un ton qui semble fait exprès pour débiter les expressions de M. de Marivaux; elle a la prononciation extrêmement brève et l'accent étranger, deux choses qui s'accordent merveilleusement avec la laconicité et le tour extraordinaire des phrases de cet auteur[2] ». À côté d'elle, Mario devait être joué par Guiseppe Baletti, dit Mario, Dorante par Sticotti ou Romagnesi, Lisette par Thérèse Lalande ou Delalande.

Au XVIIIe siècle, chaque théâtre a son répertoire . le *Jeu* connaît donc les aléas de la Comédie-Italienne. En 1753, Silvia Baletti se retire. En 1762, la troupe doit fusionner avec l'Opéra-Comique : le *Jeu* n'a plus qu'une carrière intermittente, et après 1769, les pièces françaises ne sont plus jouées, puis elles reprennent un peu, après 1779. Paradoxalement la Révolution ramène Marivaux à la scène. En 1791, l'exclusivité des répertoires est abolie, ce qui permet aux autres théâtres de produire du Marivaux. Le théâtre de la Républi que, formé avec Talma de Comédiens-Français « rouges », monte ainsi le *Jeu*, avec Dugazon, comédien truculent, dans le rôle

1. Cité par d'Alembert, *Éloge de Marivaux*, 1785 reproduit dans le t 2 de l'éd. Deloffre, Rubellin du *Théâtre complet*, Garnier, 1989
2. Dubuisson, Lettre au marquis de Caumont, 1735, cité par H. Lagrave, *Marivaux et sa fortune littéraire* Saint-Médard-en-Jalles Ducros 1970, p. 160

d'Arlequin et Baptiste aîné qui donnait à Dorante son élégance mondaine. En 1796, Mlle Contat interprète Silvia au Théâtre de la Nation. Le *Jeu* fait bientôt partie du répertoire de la Comédie-Française : il est désormais régulièrement et abondamment mis en scène.

Ce transfert a deux autres effets sur le *Jeu*. D'une part sa « francisation » : Arlequin est métamorphosé en « Pasquin », en valet français, ce qui altère l'économie générale de la pièce. Le personnage est en même temps développé dans un sens purement comique. En I, 9, le dialogue entre Arlequin et Monsieur Orgon se poursuit de la façon suivante : Arlequin : « Il boira du meilleur ; il en a l'habitude ; ce n'est pas comme... » Monsieur Orgon : « Ce n'est pas comme... ? » Arlequin : « Ce n'est pas comme ceux qui n'en ont pas l'habitude. » Monsieur Orgon : « Ah ! bien ! bien ! » L'acte se conclut par un jeu muet, Orgon et Arlequin veulent en même temps se céder la préséance, et se décidant en même temps, finissent par se cogner. De même, en II, 4, Dorante accompagne les réprimandes de son valet par un coup de pied (lazzi sans doute introduit au XVIIIe siècle), et Arlequin réagit avec cette réplique supplémentaire : « Je n'aime pas qu'on me manque[1]. »

D'autre part, les Comédiens-Français introduisent la tradition qui avait gêné Marivaux d'une diction impeccable traitant chaque réplique comme une unité et faisant ressortir toutes ses implications. Les interprètes du rôle de Silvia ont particulièrement exploité ces effets, au risque de ruiner l'équilibre du *Jeu*. Après Mlle Contat (qui crée le rôle à la Comédie-Française), un peu trop « grande dame de la cour » pour le rôle, et Mlle Desrosiers, qui, en 1802, retrouve Dazincourt (Pasquin), Baptiste aîné (Dorante) et Sophie Devienne (Lisette), c'est Mlle Mars qui s'impose pendant l'Empire puis à toute la génération romantique (elle joue Silvia jusqu'en 1841). Dotant son personnage de tout l'esprit et de toute l'élégance possibles, elle se situait aux antipodes de la tradition italienne, comme le suggère Nerval : « La voix, le geste, la démarche, tout est mesuré, compassé et froid. On parle, on rit, on discute, on se fâche sans changer de place ; et comme on est cloué au plancher et garrotté par la cérémonie, la seule chose qui vous reste libre, c'est le regard et la parole. Le regard et la parole, voilà les deux choses prodigieuses

1. Francisque Sarcey, *Quarante ans de théâtre*, Bibliothèque des Annales, 1900, t. 2, p. 275

de Mlle Mars[1]. » Contre cette recréation nostalgique de l'Ancien Régime, Gautier suggère une interprétation de Marivaux qui fasse entrevoir Musset et Shakespeare : « Mlle Mars jouait *Les Jeux de l'amour et du hasard* avec cette netteté étincelante, cette grâce mesurée et juste, ce goût toujours sûr de lui-même et cette verve railleuse qui n'appartenait qu'à elle. Mais [...] il nous a semblé qu'elle manquait dans ces rôles, à la fois si maniérés et si vrais, de l'élément aventureux et romanesque encore plutôt que poétique, qui leur donne une couleur à part. [...] Ce côté fantasque, presque rêveur, souvent sensible et passionné, n'a pas été suffisamment rendu, selon nous, par Mlle Mars, plus occupée d'acérer et de décocher les traits spirituels, de marquer les intentions moqueuses, de déployer ses manières de grande dame, et d'établir sur toute la pièce son écrasante supériorité[2]. » Mme Arnould-Plessy qui lui succède (mai 1843) garde le même style et plaît par son abattage. Madeleine Brohan qui reprend le rôle en 1851, avec sa sœur Augustine dans le rôle de Lisette, semble pousser plus loin encore cette tendance : « Il y avait des moments où les deux sœurs en présence se renvoyaient le volant avec des coups de raquette si drus et si pressés qu'on entendait siffler la phrase en l'air sans la voir passer. [...] Cette Silvia ogresse et cette Lisette cannibale donnaient un accent étrange à cette comédie un peu minaudière. [...] Qu'elles éteignent un peu leur brio, modèrent leur entrain [...] Que diable ! Marivaux est déjà bien assez spirituel comme cela[3]. »

Tandis qu'en 1882, Perrin, l'administrateur du Théâtre-Français, ramène le personnage d'Arlequin à sa version primitive, Émilie Broisat revient à une conception plus sobre du rôle de Silvia, avant que Julia Bartet séduise à partir de 1891, par un jeu plus intérieur et plus sensible : « Nous avons eu par elle un Marivaux pudique, riche d'ardeur contenue, et même nuancé çà et là de mélancolie douloureuse, un Marivaux sur qui le romantisme avait passé[4]. »

Au XXe siècle, parallèlement à l'élargissement de l'attention critique, les metteurs en scène renouvellent les représentations de Marivaux, mais ce phénomène touche indirectement le *Jeu*, dont

1. Gérard de Nerval, *Vert-Vert*, n° 182 (2 mars 1833), cité par Maurice Descotes, *Les Grands Rôles du théâtre de Marivaux*, PUF, 1972, p. 189

2. Théophile Gautier, *Histoire de l'art dramatique en France depuis vingt-cinq ans*, Hetzel, 1859, t. 5, p. 309-310 (4 septembre 1848).

3. *Ibid.*, t 6, p. 217 (20 janvier 1851).

4. Béatrix Dussane, « Le Marivaux que nous aimons », *Cahiers Renaud-Barrault*, 3e année, n° 14, 1955, p. 71.

aucune mise en scène n'a constitué l'événement qui vient modifier les perceptions du public. Contre une tradition de la Comédie-Française qui fait de Marivaux un auteur « fin, surfin, superfin, extrafin » (Louis Jouvet), on cherche d'abord à retrouver ce qu'il doit aux Italiens ou à l'esprit de la *commedia dell'arte*. Ce travail a été effectué surtout par Xavier de Courville en son théâtre de la Petite Scène : « De *La Double Inconstance* aux *Sincères*, un style de la Petite Scène s'était dessiné, qui avait profité des leçons du Vieux-Colombier sans s'y assujettir, dont le décor dressait dans l'espace des lieux propices au jeu sans se priver d'une couleur souriante ni d'un candide trompe-l'œil, et qui ne disciplinait ses comédiens qu'en accentuant d'une flamme italienne leur naturel élan [1]. » Courville insiste sur le rôle du masque dans le *Jeu :* « Le déguisement, si artificiel qu'il soit, présente au grand jour l'obstacle trop souvent imperceptible qui retarde l'expression de l'amour [...]. En quittant le domaine de la fantaisie, on risquait de s'enferrer dans une comédie de mœurs, dont les détails surprennent [2]. »

De Jacques Copeau, qui privilégie le masque, une scène fixe, un décor nu, et oblige l'acteur à s'exprimer par ses moyens propres (geste, diction, démarche), Louis Jouvet s'inspire pour dépouiller Marivaux de ses oripeaux rococo et restituer à son théâtre sa pureté : « Ce qui doit nous intéresser dans le théâtre de Marivaux, ce n'est pas le théâtre social ou d'actualité ; ce n'est pas la peinture du XVIIIe siècle, c'est ce qu'il a d'abstrait. C'est cette convention poussée à son extrême limite et spiritualisée. » Et pour exprimer ce « surmensonge », cette « surréalité », « il suffit de dire le texte de Marivaux dans une claire énonciation [3] ».

Après guerre, une troisième tendance se fait jour, qui vise à reconstituer les enjeux sociaux et les arrière-plans historiques des pièces de Marivaux. On la doit d'abord à Roger Planchon et à sa mise en scène de la *Surprise de l'amour*. « Il importe de redonner l'univers que suppose la pièce et qui aujourd'hui est caché par ce salon historique ou bourgeois : une époque, le XVIIIe siècle [...]. Ce

1. Xavier de Courville : « Soixante-cinq ans de théâtre en marge des théâtres Petite Scène, Théâtre Arlequin, Micropéra (1912-1979) », *Revue d'histoire du théâtre*, XXXI, 1979 (p. 121-137), p. 136.

2. Xavier de Courville : *Préface* au *Jeu de l'amour et du hasard, Théâtre de Marivaux*, À la cité des livres, t. 3, 1930, p. 5.

3. Louis Jouvet : « Marivaux, le théâtre et ses personnages », *Conferencia, Journal de l'Université des Annales*, XXXIII, n° 13, 15 juin 1939, p. 33 et 36.

n'est pas en rapprochant les personnages de nos contemporains que nous arriverons à les comprendre mais au contraire en soulignant les liens qui les rattachent à leur époque, ainsi nous arriverons à sentir et à faire sentir les contradictions dans lesquelles ils se débattent, bref nous les avons historisés. » Planchon reprend la critique contre les acteurs qui « sursignifient » leur rôle, et demande qu'on exprime scéniquement le « climat » propre à chaque pièce[1]. Font alors figure d'anachronisme les mises en scène comme celle de Daniel Leveugle à l'Athénée-Louis Jouvet qui, en 1960, tire Marivaux vers le romantisme, et à travers les décors, les costumes, les coiffures, les attitudes, les expressions, évoque plutôt l'image qu'on peut s'en faire à la lumière de Musset (avec Guy Pierrauld Arlequin, Claire Duhamel Lisette, Anne Carrère Silvia et André Oumansky Dorante).

De ces nouvelles lectures, la Comédie-Française, qui fait la part belle au *Jeu*, semble retenir d'abord ce qui intéresse le jeu des acteurs : un Pierre Bertin en 1936 ou un Jacques Charon en 1953 retrouvent la fantaisie italienne d'Arlequin, tandis qu'un Pierre Fresnay en Dorante raffiné (1920), ou une Marie Bell en Silvia (1936) tentent de renouveler leurs personnages. Mais les mises en scène restent traditionnelles : celle de Maurice Escande domine tout l'après-guerre (des années 40 aux années 60), et par son insignifiance, elle laisse les acteurs occuper le premier plan. Souvent très stable (Micheline Boudet, interprète de Lisette en 1946, l'est encore en 1966), permutant parfois les acteurs (Maurice Escande est Dorante avant de devenir Monsieur Orgon), la distribution semble parfois atteindre la perfection, comme en 1953, quand Hélène Perdrière prend le rôle de Silvia (prenant la succession de Mony Dalmès, avec Jacques Charon en Arlequin, Gisèle Casadessus en Lisette et Maurice Escande en Dorante).

En 1976, la nouvelle mise en scène de Jean-Paul Roussillon (qui avait été un Arlequin) illustre assez bien les efforts de la Comédie-Française pour se moderniser. Curieusement, elle conserve tous les ajouts que le XIXe siècle a apportés au rôle d'Arlequin, mais elle tente en même temps de traduire les conflits du *Jeu* en termes sociaux. Le décor (un grand salon qui s'ouvre d'un côté sur la chambre de Silvia et de l'autre est dominé par un billard) comme les

1. Roger Planchon : « Pour un nouvel usage de Marivaux », in *L'Illustre Théâtre*, V, n° 14, 1959, p. 42-45.

manifestations d'un loisir cultivé évoquent un univers bourgeois assez familier au spectateur. Les personnages sont définis et limités par leur appartenance à des classes opposées : les maîtres et les valets ne parviennent pas à y échapper. La mise en scène tire la pièce vers le drame : au terme d'un jeu « qui atteint des moments de violence, de tension et d'agressivité extrême », les valets connaissent l'humiliation, et Dorante l'amertume de ne pouvoir se soustraire à la « fatalité de l'ordre social[1] ».

Le 4 mars 1967, le téléfilm de Marcel Bluwal offre une vision neuve du *Jeu* qui rompt avec la tradition du théâtre enregistré : il détache la pièce de Marivaux de la scène et la filme comme une histoire réelle, qu'il situe dans un château du XVIIIe siècle. Ce choix place les personnages dans une réalité pittoresque, et les rapproche du spectateur, puisqu'ils ne sont plus montrés en train d'interpréter le jeu, mais de le vivre. Le film a touché un large public, séduit, comme la presse, par l'image d'un XVIIIe siècle concret et par des acteurs absorbés par ce qui leur arrive (Jean-Pierre Cassel en Dorante, Danièle Lebrun en Silvia, Claude Brasseur en Arlequin, Françoise Giret en Lisette, Henri-Jacques Huet en Mario, André Luguet en Orgon). En privilégiant les gros plans, en traitant l'espace non comme ce que construit le dialogue mais comme un décor extérieur (on passe ainsi du parc à la terrasse et aux appartements), Marcel Bluwal visait une naturalisation et une intériorisation psychologique du texte, rompant ainsi l'équilibre voulu par Marivaux entre théâtralité et intimité, mésalliance et amour, différence sociale et inégalité dans le couple[2].

Marcel Bluwal a estompé les marques de stylisation ; vingt ans plus tard, l'Argentin Alfredo Arias semble ne s'être préoccupé que d'elles en présentant un *Jeu* entièrement joué par des singes ! Ce spectacle donné à Aubervilliers en 1987 a été bien accueilli par la presse (avec Marilù Marini en Silvia, Zobeida en Lisette, Larry Hager en Orgon, A. Salomon en Mario, F. Bo en Dorante, M. Gonzalez en Arlequin). La scène était occupée par une fabrique tirée d'un parc du XVIIIe siècle (grotte surmontée d'un édicule classique). Tous les acteurs portent des masques, qui créent globalement un effet de distance. Une gestuelle simiesque vient

1. Gilles Sandier, *Théâtre en crise*, Grenoble, La Pensée sauvage, 1982, p. 409. Voir Patrice Pavis : *Marivaux à l'épreuve de la scène*, Publications de la Sorbonne, 1986, p. 201-222.
2. Voir Patrice Pavis, « Sur le téléfilm de Marcel Bluwal », *Philologia Hispalensis*, n° 1 1986.

redoubler les comportements propres à chaque rôle, et permet de suggérer le sens obscène possible de certaines répliques. Le sentiment d'étrangeté est renforcé par la diversité des accents étrangers ou des types de jeu des acteurs. Le parti pris d'Arias montre vite ses limites : le travestissement uniforme recouvre l'ensemble de la pièce, et en dissimule les fécondes tensions[1]

Le *Jeu* a connu de grandes interprétations ; les grandes mises en scène sont encore à venir.

J.-P. S

1. Voir Patrice Pavis, « *Le jeu de l'amour et du hasard :* une singerie post-moderne en trois bonds (à propos de la mise en scène d'Alfredo Arias) », in *L'Âge du théâtre en France*, éd. David Trott et Nicole Boursier, Edmonton, 1988, p. 349-363.

BIBLIOGRAPHIE

a) Éditions :

Le Jeu de l'amour et du hasard figure dans le tome I du *Théâtre complet* de Marivaux, éd. par Frédéric Deloffre et Françoise Rubellin, Garnier, 1989 (comporte les jugements contemporains, des notes, un glossaire ; 1re éd. : 1968).

Édition plus récente, plus proche des éditions originales : Marivaux, *Théâtre complet,* tome I, éd. par Henri Coulet et Michel Gilot, Bibliothèque de la Pléiade, Gallimard, 1993.

b) Sources anciennes :

Alembert, Jean le Rond d' : *Éloge de Marivaux,* 1785, reproduit en annexe du *Théâtre complet*, t. II, éd. Frédéric Deloffre et Françoise Rubellin, Garnier, 1989.

Gamaches : *Les Agréments du langage réduits à leurs principes,* éd. par Jean-Paul Sermain, Éd. des Cendres, 1992.

Lesbros de la Versane, Louis : *Esprit de Marivaux, ou Analectes de ses ouvrages, précédés de la vie historique de l'auteur,* Paris, 1769.

Riccoboni, Louis : *Réflexions historiques et critiques sur les différens théâtres de l'Europe. Avec les Pensées sur la Déclamation,* Jacques Guérin, 1738.

c) Études :

Arland, Marcel : *Marivaux,* Gallimard, 1950.

Barrera-Vidal, Albert : « Les différents niveaux de langue dans *Le*

Jeu de l'amour et du hasard », *Die Neueren Sprachen*, n° 8, août 1966, p. 378-384.

Brady, Valentin Papadopoulou : *Love in the theater of Marivaux. A study of the factors influencing its birth, development and expression*, Genève, Droz, 1970.

Coulet, Henri, et Gilot, Michel : *Marivaux, un humanisme expérimental*, Larousse, 1973.

Deguy, Michel : *La Machine matrimoniale ou Marivaux*, Gallimard, 1981.

Deloffre, Frédéric : *Une préciosité nouvelle : Marivaux et le marivaudage* (1954), 2e éd., A. Colin, 1967 (Slatkine, 1993).

Démoris, René : *Lectures de* Les Fausses Confidences *de Marivaux, l'être et le paraître*, Belin, 1987.

Descotes, Maurice : *Les Grands Rôles du théâtre de Marivaux*, PUF, 1972.

Dort, Bernard : « Marivaux. À la recherche de l'amour et de la vérité », *Théâtre public*, Le Seuil, 1967.

Gilot, Michel : « La vocation comique de Marivaux », *Saggi e ricerche di letteratura francese*, n° 11, 1971, p. 57-86.

Giraudoux, Jean : *Hommage à Marivaux*, texte lu à la Comédie-Française le 4 février 1943 et repris en préface au *Théâtre complet*, édition de Jean Fournier et Maurice Bastide aux Éditions nationales, 1946.

Greene, E. J. H. : *Marivaux*, University of Toronto Press, 1965.

Lagrave, Henri : *Marivaux et sa fortune littéraire*, Saint-Médard-en-Jalles, G. Ducros, 1970.

— : *Le Théâtre et le public à Paris de 1715 à 1750*, Librairie Klincksieck, 1972.

Lambert, Pauline : *Réalité et ironie : les jeux de l'illusion dans le théâtre de Marivaux*, Fribourg, Éd. Universitaires, 1973.

Ledent, Roger : « Une source inconnue du *Jeu de l'amour et du hasard* », *Revue d'histoire littéraire de la France*, n° 47, 1947.

Lewinter, Roger : « Marivaux : des mots et des corps », *Les Cahiers du Chemin*, n° 22, 15 octobre 1974, p. 154-164.

McKee, Keneth M. : *The Theater of Marivaux*, New York U. Press, 1958.

Meyer, Marylise M. : *La Convention dans le théâtre d'amour de Marivaux*, São Polo, 1961.

Miething, Christoph : *Identitätsprobleme in der Komödie*, Munich, W. Fink 1975.

Pavis, Patrice : *Marivaux à l'épreuve de la scène*, Publications de la Sorbonne, 1986.

Rougemont, Martine de : *La Vie théâtrale en France au XVIIIe siècle*, H. Champion, 1988.

Rousset, Jean : « Marivaux et la structure du double registre », *Studi francesi*, 1957, p. 58-68 ; repris dans *Forme et signification*, Corti, 1962.

Roy, Claude : *Lire Marivaux*, La Baconnière et Le Seuil, 1947.

Sanaker, John Christian : *Le Discours mal apprivoisé — essai sur le dialogue de Marivaux*, Oslo/Paris, Solum Forlag/Didier Érudition, 1987.

Spink, J. S. : « Marivaux : the " mechanism of the passions " and the " metaphysic of sentiment " », *The Modern Language Review*, 73, 1978, p. 278-290.

Trapnell, William H.. *Eavesdropping in Marivaux*, Genève, Droz, 1987.

J.-P. S

NOTES

ACTE PREMIER

Page 33.

1. *Répondre de :* être garant de mes sentiments. Locution ici réactivée : pourquoi donner à ma place une réponse sur mes sentiments ?

Page 34.

2. *Originale :* « ce mot se dit en riant d'une personne qui a quelque chose de singulier et d'un peu extravagant dans l'esprit » (R).

Page 35.

3. *Amant :* qui aime et qui est aimé, soupirant. Le sens moderne y est virtuel, ici introduit sur le mode d'un sous-entendu.

Page 36.

4. *Pour l'amour :* voilà de quoi alimenter, de quoi faire durer l'amour.

5. *Pour l'entretien de la société :* ce qui va assurer la vie en commun.

6. *Hétéroclite :* « qui ne suit pas les règles générales et ordinaires » (pour un mot) ; par extension « sot, ridicule » (R).

Page 37.

7. *Vertuchoux :* juron humoristique qui atténue « vertudieu ».

8. *Galant homme :* « qui a de la probité, civil, social, de bonne compagnie, de conversation agréable » (A).

9. *Brutal :* « tenant de la bête brute, grossier, féroce, emporté » (A).
10. *Fantasque :* « capricieux, sujet à des fantaisies, des caprices » (A)

Page 38.

11. *Figure :* « la forme extérieure d'une chose matérielle. *L'étrange figure d'homme. Il n'a pas figure d'homme* » (A).
12. *Toute :* cet accord de l'adverbe *tout* est encore d'usage courant, malgré les condamnations des grammairiens.

Page 39.

13. *Prétendu* . « il se prend aussi substantivement dans le style familier pour celui ou celle qui doivent s'épouser » (A).

Page 41.

14. *Remerciiez* · « refuser honnêtement » (A)

Page 42.

15. Rêver : « signifie aussi penser, méditer profondément sur quelque chose. *Cette affaire-là est de grande conséquence, il y faut rêver* » (A).

Page 43.

16. *Quitte :* à partir de l'édition de 1736, commence ici une scène 4.
17. *Amuser :* « arrêter inutilement, faire perdre le temps » (A)

Page 44.

18 *En partie de masque* . comme pour un bal masqué. « Partie se dit aussi d'un projet de divertissement entre plusieurs personnes » (A).
19. *Article :* « une des petites parties d'un écrit » (A).
20 *Imagination :* « se dit aussi des inventions, des pensées et des effets que produit cette faculté [de l'imagination] » (T).

Page 45.

21. *Future :* « on dit en termes de pratique, *les futurs époux, les futurs conjoints*, pour dire les deux personnes qui contractent ensemble pour se marier ensuite » (A). Le père a donc un langage juridique.

22. *Se régler ensuite :* « on dit *se régler sur quelque chose* pour dire se conformer à ce qui a été décidé ou pratiqué sur quelque chose » (A).

23. *De votre côté :* à votre égard.

24. *Savez-vous :* « savoir : connaître, avoir connaissance de » (A).

25. *Particulier :* « singulier, extraordinaire, peu commun » (A).

26. *Inspirée :* « inspirer : faire naître dans le cœur, dans l'esprit quelque mouvement, quelque dessein, quelque pensée » (A). La construction passive, rare, évite d'énoncer le sujet qui a suscité cette inspiration

Page 46

27. *C'est autant de pris :* c'est toujours cela de pris.

28. *Étourdir :* « se dit figurément en choses morales des accidents qui troublent, qui surprennent notre raison » (T).

29. *Démêler :* « se dit figurément en morale pour dire distinguer, séparer » (implicitement la vérité des apparences). D'où, « deviner, pénétrer » (T).

Page 47.

30. *L'historien :* il dévoilera l'histoire de son maître.

31. *Crocheteur :* « portefaix qui porte des fardeaux sur des crochets » (T).

32. *Bureau :* bureau des messageries (ou des douanes).

Page 48.

33. *Devant :* par avance, avant lui.

Page 49.

34. *Affaires :* voilà bien des histoires.

35. *Accroire :* « il n'a d'usage qu'à l'infinitif avec le verbe *faire.* Et il signifie faire croire ce qui n'est pas » (A).

36. *Bourguignon :* la mise en place des déguisements rejoint la convention sociale qui prive les domestiques de leur identité.

Page 50.

37. *Vous me jouez :* « *jouer.* Se moquer. Rendre une personne ridicule » (R).

38. *Brisées :* « branches que le veneur rompt aux arbres, ou qu'il sème dans son chemin, pour reconnaître l'endroit où est la bête, et

où on l'a détournée [...]. On dit figurément *courir, aller sur les brisées de quelqu'un* pour dire courir sur son marché, entrer en concurrence avec lui » (A).

Page 51.

39. *Mons :* « on dit familièrement, *Mons,* par une abréviation méprisante du mot *Monsieur. Mons un tel* » (A).

Page 52.

40. *M'en conter :* « on dit familièrement *en conter à une femme* pour dire la cajoler » (« tâcher de séduire par de belles paroles ») (A).

Page 53.

41. *Trait :* « se dit des beaux endroits d'un discours, de ce qu'il a de plus vif et de plus brillant » (A).

42. *Faite à :* « faire : [...] former, accoutumer à certaines choses, a certaines habitudes. *Il est fait au chaud et au froid* » (A).

43. *Garde-robe :* désigne les habits, ce que l'on met dans la garde-robe, et aussi la pièce qui sert à faire coucher un valet ou une femme de chambre.

Page 54.

44. *Condition :* « on dit absolument *homme de condition* pour dire de naissance » (A), c'est-à-dire noble.

45. *La vérifier :* être la preuve de sa vérité.

Page 55

46. *D'abord que :* « aussitôt que » (R), mais en 1787 Féraud note que « *d'abord que* pour *dès que* est vieux et hors d'usage ».

47 *Malgré que j'en aie :* selon Féraud, « malgré que » a un sens plus fort que « quoique » : « *malgré que vous en ayez,* malgré tous vos efforts ».

Page 56.

48. *Réglée :* « on appelle une dispute *réglée* une dispute qui se fait dans les formes et avec un dessein prémédité » (T). L'adjectif ne peut s'appliquer à une conversation sans humour.

49. *Qu'il m'amuse :* a le sens de « faire perdre le temps », comme dans I, 3, mais le second sens (« divertir par des choses agréables et amusantes ») est suggéré, conformément à l'ambivalence des sentiments de Silvia.

Page 57.

50. *Confidemment :* « en confidence » (A).

51. *Emporter :* « se dit figurément des passions et signifie tirer l'âme de sa situation ordinaire, jeter dans quelque excès blâmable » (A).

Page 58.

52. *Passe :* « passer signifie aussi aller au-delà, excéder. *Passer les bornes* [...] *Cela passe la raillerie. Cela passe la vraisemblance* » (A).

53. *Quartier :* « on dit figurément que le style de la conversation *demander quartier,* pour dire demander grâce, *ne faire aucun quartier, ne point donner de quartier,* pour dire, traiter à la rigueur » (A).

Page 59.

54. *Porte-manteau :* « sorte de valise de cuir ou d'étoffe » (Littré).

55. *Autant vaut :* peu s'en faut. « On dit absolument et familièrement, *cela est fini, ou autant vaut. C'est un homme mort ou autant vaut* » (A).

Page 61.

56. *Hôtel :* « grande maison d'un prince, d'un grand seigneur, d'une personne de grande qualité. *L'Hôtel de Condé* » (A).

Page 62.

57. *Butor :* « on dit figurément d'un homme stupide que *c'est un vrai butor* » (A).

58. *Dans les suites :* plus tard, désormais.

Page 64.

59. *Mal bâti :* « il se dit quelquefois en riant, et alors il est bas, et il signifie qui est mal, qui ne se porte point bien, qui a quelque chose qui est en mauvais état (c'est un homme qui est souvent mal bâti) » (R).

60. *Ragoûtant :* « il signifie figurément qui flatte, qui intéresse, qui est agréable. *Une parure, une physionomie ragoûtante* » (A).

ACTE II

Page 66.

1. *Train :* suivre son cours. Selon Féraud, *Aller son train* est du style familier

Page 67

2. *Il est :* cela est. Cet emploi du « il » à valeur neutre est considéré comme fautif, mais il est volontiers pratiqué par Marivaux.

3. *Cela ne laissera pas que d'être :* cela ne manquera pas de se produire.

4. *Sur ce pied-là :* « on dit adverbialement et familièrement, *sur ce pied-là,* pour dire, les choses étant ainsi, [...] comme vous le dites » (A).

Page 68.

5. *M'obsède* « obséder : être assidûment auprès de quelqu'un, pour empêcher que d'autres n'en approchent, et pour se rendre maître de son esprit. [...]. Il se prend en mauvaise part » (A).

6. *À vue de pays :* on dit figurément *juger à vue de pays,* pour dire juger des choses en gros, juger sur les premières connaissances » (A).

7. *Rebuter :* « rejeter avec dureté, avec rudesse. *Il voulait entrer mais on le rebuta à la porte* » (A).

8. « *Se gouverner,* c'est tenir une conduite bonne ou mauvaise, dans sa vie, dans ses mœurs, dans ses affaires » (A).

9. *Conséquence :* « il se prend aussi pour importance. *Un homme de conséquence. Une affaire de nulle conséquence* » (A).

Page 69.

10. *Prévenir :* « gagner l'esprit de quelqu'un » (R).

11. *Serviteur :* formule de politesse pour saluer quelqu'un (Littré).

Page 70.

12. *De votre façon :* tel que vous l'avez façonné (façon désigne la manière dont une chose est faite, confectionnée *(payer la façon d'un habit)* (A).

13. *Établir :* « il signifie aussi mettre dans un état, dans un emploi avantageux, dans une condition stable. [..] On dit dans ce sens qu'*on établit une fille,* pour dire qu'on la marie » (A).

Page 71.

14. *Roquille :* « la plus petite des mesures de vin, contenant la moitié du demi-setier » (A) (environ 1 décilitre).

Page 72

15. *Comme un perdu :* « on dit proverbialement *courir comme un perdu*. *crier comme un perdu*, pour dire courir, crier de toute sa force » (A)

Page 75.

16. *Courir les champs :* « on dit proverbialement d'un homme qui est bien fou qu'*il est fou à courir les champs* » (A).

17. *Décompter :* « rabattre d'une somme [...]. Signifie figurément rabattre de l'opinion qu'on avait d'une chose, d'une personne » (A)

Page 76.

18. *État :* « signifie aussi profession, condition » (A).

19. *Il a beau jeu encore :* « on dit fig. et fam. qu'un homme a beau jeu, pour dire, que dans une affaire importante, l'apparence de succès est pour lui » (A).

20. *Martinet :* « espèce de petit chandelier plat qui a un manche » (A).

Page 78.

21. *Brutalité :* « signifie encore grossièreté, dureté » (T).

Page 79.

22. *Convenance :* « rapport, conformité » (A). Le faux Dorante ne convient pas à la vraie Silvia.

Page 80.

23. *Procédé :* « Manière d'agir » (A).

24. *Gâter l'esprit sur son compte :* gâter l'esprit est une expression courante (dans le sens de « corrompre ») : Lisette accuse le pseudo-valet d'avoir corrompu l'esprit (l'opinion) de Silvia à l'égard du pseudo-maître.

Page 81.

25. *Maladroites :* Lisette ne précise pas en quoi réside cette « maladresse », laissant ainsi beaucoup à penser à Silvia (et au spectateur).

26. *Je vous le défends :* ce *vous* figure dans l'édition originale. F. Deloffre le considère comme une faute de l'imprimeur, et M. Gilot et H. Coulet en font un vous « explétif » (« pronom personnel de la 1re ou de la 2e personne qui sous la forme d'un objet indirect,

exprime l'idée que prend à l'action la personne qui parle, ou indique qu'on sollicite l'interlocuteur ou le lecteur de s'intéresser à l'action », Grévisse, qui donne cet exemple tiré de *L'Avare :* « Qu'on me l'égorge tout à l'heure »).

Page 82.

27. *Finesse :* « on dit, entendre finesse à une chose, pour dire, donner un sens fin et malin à quelque chose » (A).

Page 83.

28. *Objet :* « chose où l'on arrête sa pensée, son cœur, son but et son dessein » (R). Bourguignon est « l'objet » qui occupe Silvia.

29. *Éloignement :* « action par laquelle on éloigne, on s'éloigne [...] signifie aussi antipathie, aversion » (A).

Page 84.

30. *Ni à moi :* ni à ce que je parte moi aussi.

Page 85.

31. *Me tourne :* « on dit aussi, cela me ferait *tourner* l'esprit, pour dire, cela me ferait devenir fou » (T). Dorante dit un peu plus loin : « il faut que je parte, ou que la tête me tourne », c'est-à-dire je deviens fou.

32. *Rassurer :* « il se joint quelquefois au pronom personnel. *Je me rassure sur votre parole* » (A). C'est la construction du texte : je ne pourrai toujours trouver de quoi me rassurer dans l'innocence de mes intentions.

Page 87.

33. *Amuser :* « signifie aussi repaître de vaines espérances. *Il a longtemps amusé cette fille en lui promettant de l'épouser* » (A). Silvia ne veut pas « badiner avec l'amour ».

Page 88.

34. *Sensible :* « délicat, tendre, aisé à toucher. Cette femme a l'âme tendre et *sensible,* ce qui se dit tant de l'amour que de la compassion » (T).

35. *Sans difficulté :* enchaîne sur la confirmation demandée par Dorante (je le confirme sans difficulté), et non sur son objet (l'indifférence de Silvia).

Page 89.

36. *Façon :* circonstance.

37. *Honnête :* « on dit *Une naissance honnête, une condition honnête,* pour dire une naissance qui n'a rien de bas ni de fort élevé » (A).

Page 90.

38. *Imposer :* « on dit absolument *imposer,* pour dire inspirer du respect » (A).

Page 92.

39. *Idée :* « il se prend aussi figurément pour des visions chimériques, ou pour des choses qui ne sont point effectives » (A).

40. *Pour dans la mienne :* pour ce qui est dans la mienne. Ce sens de « pour » est recensé par Féraud : « *quant à* » : « *pour moi* je dis, etc. ».

41. *Détruit :* « décréditer, faire perdre l'estime (" détruire une personne dans l'esprit d'un autre ", d'Ablancourt) » (F).

Page 94.

42. *J'essuie :* « essuyer se dit aussi des périls et des difficultés, où on s'expose, et qu'il faut souffrir, ou surmonter » (T).

43. *Mouvements :* désigne une émotion, un élan, un désir : « il se dit des différentes impulsions, passions ou affections de l'âme » (A). Le même mot « mouvement » désignant des réalités physiques et psychologiques suggère le passage de l'intérieur à l'extérieur, l'expressivité de l'un par l'autre. Le mouvement vous « emporte », comme le dit Silvia deux fois.

Page 95.

44. *Conséquence :* Marivaux fait tenir cette « importance » du mot aux « conséquences », aux « suites », aux effets qu'il entraîne, donc à ce qu'il « implique », à ce qu'il laisse entendre ou « supposer ».

Page 97.

45. *Apostille :* « annotation ou renvoi qu'on fait à la marge d'un écrit pour y ajouter quelque chose qui manque dans le texte, ou pour l'éclaircir et l'interpréter » (T).

46. *Répétition :* la répétition de l'« action » qui a conclu le dialogue de Silvia et de Dorante consiste à la rejouer, et donc à répéter les derniers mots de Silvia. L'enchaînement avec l'image de la « comédie » renforce la potentialité métaphorique du mot « répétition ». « Se dit de toutes les choses qu'on répète en particulier, pour les faire bien exécuter en public » (A).

Page 101.

47. *En partant :* quand je suis parti. Le gérondif renvoie non au sujet (mon père), mais au complément (« me ») : construction alors encore courante.

48. *Événement :* « l'issue, le succès de quelque chose » (A).

Page 102

49. *Engagement :* « une promesse, un attachement, une obligation qui est cause que l'on n'est plus en liberté de faire ce qu'on veut » (A).

50. *Sur l'article de votre valet :* en ce qui concerne votre valet.

Page 104

51. *Tout à l'heure :* « sur l'heure, présentement » (F).

ACTE III

Page 106.

1. *Souffre*. « souffrir signifie encore, tolérer, n'empêcher pas, quoiqu'on le puisse. *Il souffre tout à ses enfants* » (A).

2. *Accommodons-nous :* « s'accommoder : s'accorder, convenir » (R).

3. *Les violons :* les violons de la noce.

Page 107.

4. *Habit de caractère :* le costume qui permet de distinguer ce qui caractérise extérieurement. C'est la « livrée » du valet.

5. *Succès :* « ce qui arrive à quelqu'un de conforme ou de contraire au but qu'il se proposait dans un dessein qu'il avait formé » (A).

Page 109.

6. *Tantôt*. « il s'emploie aussi pour le passé, et signifie, il y a peu de temps; mais toujours en parlant de la même journée » (A).

Page 110.

7. *Certaines mesures :* l'expression est assez vague pour laisser libre cours à l'imagination de Dorante.

Page 114.

8. *Intrigué*. « bien embarrassé » (A). « On dit d'un homme engagé dans une mauvaise affaire, qu'il est bien *intrigué ;* ou d'un

homme distrait et qui a toujours quelque chose en tête, qu'il est fort *intrigué* » (T).

Page 115.

9. *Badine :* plaisante. « Badiner, faire le badin, se jouer agréablement. » « Badin » est « celui qui fait des plaisanteries » (T).

Page 116.

10. *Cela vaut fait :* « on dit aussi proverbialement, *cela vaut fait*, pour dire, assurez-vous que cela ne manquera pas de se faire » (A).

Page 117.

11. *Impertinence :* « sottise » (A).

12. *Uni :* on parle d'un fil uni, d'un habit uni (sans ornement), d'un homme uni (« simple et sans façon »). L'amour-propre de Silvia est élémentaire, n'a rien de remarquable : on ne saurait en imaginer de plus simple.

13. *Discrétion :* « on dit aussi, *se rendre à discrétion*, lorsqu'on se soumet à la volonté, et qu'on se rend à la merci du vainqueur » (A).

14. *Ouvrage :* dans ses *Remarques*, Vaugelas donne le mot pour masculin et ajoute : « les femmes parlant de leur ouvrage, le font souvent féminin, et disent, *voilà une belle ouvrage, mon ouvrage n'est pas faite* ».

15. *Conditionnée :* « qui a les conditions requises. Il est ordinairement, on peut même dire presque toujours, modifié par *bien* ou *mal* : des vins, des draps *bien* ou *mal conditionnés* : marchandises *bien* ou *mal conditionnées* » (F). Dorante a été préparé, il est prêt à se déclarer.

Page 118.

16. *S'accommode :* qu'il s'arrange avec toi.

Page 120.

17. *Aveu :* « signifie aussi l'approbation, le consentement, l'agrément qu'une personne supérieure donne à ce qu'un inférieur a fait ou a dessein de faire. *Je ne veux rien faire sans votre aveu* » (A).

Page 122.

18. *Au fond du sac :* « on dit proverbialement et figurément, *voir le fond du sac*, pour dire, pénétrer dans ce qu'une affaire a de plus secret, de plus caché » (A).

19. *D'où vient :* Pourquoi. À l'époque de Marivaux, cette locution est autorisée par l'usage (A), et considérée comme une faute par Féraud.

Page 123.

20. *Un peu à tirer :* « en parlant d'un homme qui a beaucoup à travailler, beaucoup de choses à faire avant que de parvenir où il prétend, on dit familièrement, qu'*il a encore bien à tirer pour en arriver là* » (A).

Page 124.

21. *Magot :* « gros singe. On dit fig. et fam. d'un homme fort laid, qu'*il est laid comme un magot, que c'est un vrai magot, un laid magot* » (A). Arlequin rend la pareille à Lisette en l'appelant avec humour un peu plus loin « magotte ». Le mot restitue à « culbute » sa valeur imagée.

Page 125.

22. *Apprêtons :* « on dit, *apprêter à rire*, pour dire, donner à rire, donner occasion de rire » (A).

Page 126.

23. *Soufflé :* « on dit fig. et fam. qu'*un homme n'oserait souffler*, qu'*il ne souffle pas*, pour dire, qu'il n'oserait ouvrir la bouche pour faire des plaintes, des remontrances » (A).

24. *Habit d'ordonnance :* « on appelle *habit d'ordonnance*, l'habillement uniforme que les officiers et les soldats doivent avoir dans chaque régiment » (A). Arlequin reprend l'image du « soldat d'antichambre ».

25. *Tant y a que :* « façon de parler, dont on se sert dans la conclusion d'un discours familier, et qui à peu près signifie, quoi qu'il en soit. Il commence à vieillir » (A).

Page 127.

26. *Tu m'en imposes :* « on dit encore *en imposer à quelqu un*, pour dire, tromper, abuser, [...] en faire accroire à quelqu'un » (A).

27. *Ventrebleu :* « jurement burlesque » (T, qui cite un exemple de Molière). Travestissement de « par le ventre de Dieu ».

28. *Casaque :* « sorte d'habillement dont on se sert comme d'un manteau, et qui a d'ordinaire des manches fort larges. *Une casaque pour la campagne. Une casaque pour la pluie* » (A)

29. *Souguenille :* forme non enregistrée par les dictionnaires de souquenille : « vêtement de grosse toile, ou garderobe qu'on donne aux valets pour conserver leurs habits propres » (T). Notre bleu de travail.

30. *Casse :* sujet à être cassé, c'est-à-dire renvoyé, licencié (casser s'applique aux gens de guerre mais aussi aux employés).

31. *Friperie :* « on appelle aussi *friperie,* les habits, les meubles qui ont servi à d'autres personnes, et qui sont fripés et usés » (A).

32. *Pousser sa pointe :* un équivalent familier de « *se pousser dans le monde,* pour dire, s'y avancer, s'y mettre en considération » (A).

Page 128.

33. *But à but :* « on dit aussi adverbialement *but à but,* pour dire, également sans aucun avantage de part ni d'autre. Son plus grand usage est au jeu. *Jouer but à but. Être but à but* » (A). Allusion à la mésalliance : « Lorsque deux personnes se marient, sans que l'une fasse aucun avantage à l'autre, on dit qu'*ils se sont mariés but à but* » (A).

34. *Prévenu :* « prévenir signifie aussi être le premier à faire ce qu'un autre voulait faire » (A).

Page 129.

35. *Représenter :* « faire voir, faire connaître, montrer » (R).

36. *Envoyer :* « donner ordre, faire en sorte qu'une personne aille » (A).

Page 131.

37. *Naïf :* « qui n'est pas concerté, qui n'est pas étudié » (A). La réponse de Silvia est « nature », sans ménagement.

Page 132.

38. *Parti :* « résolution, détermination. *C'est le parti qu'il faut prendre* » (A).

Page 134.

39. *Exposer :* « signifie aussi, mettre en péril, mettre au hasard. *Exposer sa vie. Exposer son honneur, sa réputation* » (A).

Page 135.

40. *Transport :* « se dit fig des passions violentes qui nous mettent en quelque sorte hors de nous-mêmes. *Transport de joie. Transport d'amour* » (A).

41. *Tâcher :* « quand il est suivi de la particule à, ou de l'équivalent, il signifie viser à. *Je vois bien que vous tâchez à m'embarrasser* » (A).

Page 136.

42. *Gêner :* « tenir en contrainte. La rime gêne beaucoup les poètes » (F).

J.-P. S.

DU MÊME AUTEUR

Dans la même collection

LE JEU DE L'AMOUR ET DU HASARD. *Préface de Catherine Naugrette-Christophe. Édition établie et annotée par Jean-Paul Sermain.*

LE TRIOMPHE DE L'AMOUR. *Édition présentée et établie par Henri Coulet.*

LES FAUSSES CONFIDENCES. *Édition présentée et établie par Michel Gilot.*

LA DOUBLE INCONSTANCE. *Édition présentée et établie par Françoise Rubellin.*

L'ÉPREUVE. *Édition présentée et établie par Henri Coulet.*

LA SURPRISE DE L'AMOUR — LA SECONDE SURPRISE DE L'AMOUR. *Édition présentée et établie par Henri Coulet.*

LES SINCÈRES. LES ACTEURS DE BONNE FOI. *Édition présentée et établie par Henri Coulet.*

LE PRINCE TRAVESTI. *Édition présentée et établie par Henri Coulet.*

Dans la collection Folio Classique

LE PAYSAN PARVENU. *Édition présentée et établie par Henri Coulet.*

LA VIE DE MARIANNE. *Édition présentée et établie par Jean Dagen.*

L'ÎLE DES ESCLAVES. *Édition présentée et établie par Henri Coulet.*

COLLECTION FOLIO THÉÂTRE

1. Pierre CORNEILLE : *Le Cid.* Édition présentée et établie par Jean Serroy.
2. Jules ROMAINS : *Knock.* Édition présentée et établie par Annie Angremy.
3. MOLIÈRE : *L'Avare.* Édition présentée et établie par Jacques Chupeau.
4. Eugène IONESCO : *La Cantatrice chauve.* Édition présentée et établie par Emmanuel Jacquart.
5. Nathalie SARRAUTE : *Le Silence.* Édition présentée et établie par Arnaud Rykner.
6. Albert CAMUS : *Caligula.* Édition présentée et établie par Pierre-Louis Rey.
7. Paul CLAUDEL : *L'Annonce faite à Marie.* Édition présentée et établie par Michel Autrand.
8. William SHAKESPEARE : *Le Roi Lear.* Édition de Gisèle Venet. Traduction nouvelle de Jean-Michel Déprats.
9. MARIVAUX : *Le Jeu de l'amour et du hasard.* Préface de Catherine Naugrette-Christophe. Édition de Jean-Paul Sermain.
10. Pierre CORNEILLE : *Cinna.* Édition présentée et établie par Georges Forestier.
11. Eugène IONESCO : *La Leçon.* Édition présentée et établie par Emmanuel Jacquart.
12. Alfred de MUSSET : *On ne badine pas avec l'amour.* Édition présentée et établie par Simon Jeune.
13. Jean RACINE : *Andromaque.* Préface de Raymond Picard. Édition de Jean-Pierre Collinet.
14. Jean COCTEAU : *Les Parents terribles.* Édition présentée et établie par Jean Touzot.
15. Jean RACINE : *Bérénice.* Édition présentée et établie par Richard Parish.
16. Pierre CORNEILLE : *Horace.* Édition présentée et établie par Jean-Pierre Chauveau.

17. Paul CLAUDEL : *Partage de Midi.* Édition présentée et établie par Gérald Antoine.
18. Albert CAMUS : *Le Malentendu.* Édition présentée et établie par Pierre-Louis Rey.
19. William SHAKESPEARE : *Jules César.* Préface et traduction d'Yves Bonnefoy.
20. Victor HUGO : *Hernani.* Édition présentée et établie par Yves Gohin.
21. Ivan TOURGUÉNIEV : *Un mois à la campagne.* Édition de Françoise Flamant. Traduction de Denis Roche.
22. Eugène LABICHE : *Brûlons Voltaire !* précédé de *Un monsieur qui a brûlé une dame, La Dame aux jambes d'azur, L'Amour, un fort volume, prix 3F 50C, La Main leste, Le Cachemire X. B. T.* Édition présentée et établie par Olivier Barrot et Raymond Chirat.
23. Jean RACINE : *Phèdre.* Édition présentée et établie par Christian Delmas et Georges Forestier.
24. Jean RACINE : *Bajazet.* Édition présentée et établie par Christian Delmas.
25. Jean RACINE : *Britannicus.* Édition présentée et établie par Georges Forestier.
26. GOETHE : *Faust.* Préface de Claude David. Traduction nouvelle de Jean Amsler. Notes de Pierre Grappin.
27. William SHAKESPEARE : *Tout est bien qui finit bien.* Édition de Gisèle Venet. Traduction nouvelle de Jean-Michel Déprats et Jean-Pierre Vincent.
28. MOLIÈRE : *Le Misanthrope.* Édition présentée et établie par Jacques Chupeau.
29. BEAUMARCHAIS : *Le Barbier de Séville.* Édition présentée et établie par Françoise Bagot et Michel Kail.
30. BEAUMARCHAIS : *Le Mariage de Figaro.* Édition présentée et établie par Françoise Bagot et Michel Kail.
31. Richard WAGNER : *Tristan et Isolde.* Préface de Pierre Boulez. Traduction nouvelle d'André Miquel. Édition bilingue.

32. Eugène IONESCO : *Les Chaises.* Édition présentée et établie par Michel Lioure.
33. William SHAKESPEARE : *Le Conte d'hiver.* Préface et traduction d'Yves Bonnefoy.
34. Pierre CORNEILLE : *Polyeucte.* Édition présentée et établie par Patrick Dandrey.
35. Jacques AUDIBERTI : *Le mal court.* Édition présentée et établie par Jeanyves Guérin.
36. Pedro CALDERÓN DE LA BARCA : *La vie est un songe.* Traduction nouvelle et notes de Lucien Dupuis. Préface et dossier de Marc Vitse.
37. Victor HUGO : *Ruy Blas.* Édition présentée et établie par Patrick Berthier.
38. MOLIÈRE : *Le Tartuffe.* Édition présentée et établie par Jean Serroy.
39. MARIVAUX : *Les Fausses Confidences.* Édition présentée et établie par Michel Gilot.
40. Hugo von HOFMANNSTHAL : *Le Chevalier à la rose.* Édition de Jacques Le Rider. Traduction de Jacqueline Verdeaux.
41. Paul CLAUDEL : *Le Soulier de satin.* Édition présentée et établie par Michel Autrand.
42. Eugène IONESCO : *Le Roi se meurt.* Édition présentée et établie par Gilles Ernst.
43. William SHAKESPEARE : *La Tempête.* Préface et traduction nouvelle d'Yves Bonnefoy. Édition bilingue.
44. William SHAKESPEARE : *Richard II.* Édition de Margaret Jones-Davies. Traduction nouvelle de Jean-Michel Déprats. Édition bilingue.
45. MOLIÈRE : *Les Précieuses ridicules.* Édition présentée et établie par Jacques Chupeau.
46. MARIVAUX : *Le Triomphe de l'amour.* Édition présentée et établie par Henri Coulet.
47. MOLIÈRE : *Dom Juan.* Édition présentée et établie par Georges Couton.

48. MOLIÈRE : *Le Bourgeois gentilhomme.* Édition présentée et établie par Jean Serroy.
49. Luigi PIRANDELLO : *Henri IV.* Édition de Robert Abirached. Traduction de Michel Arnaud.
50. Jean COCTEAU : *Bacchus.* Édition présentée et établie par Jean Touzot.
51. John FORD : *Dommage que ce soit une putain.* Édition de Gisèle Venet. Traduction nouvelle de Jean-Michel Déprats.
52. Albert CAMUS : *L'État de siège.* Édition présentée et établie par Pierre- Louis Rey.
53. Eugène IONESCO : *Rhinocéros.* Édition présentée et établie par Emmanuel Jacquart.
54. Jean RACINE : *Iphigénie.* Édition présentée et établie par Georges Forestier.
55. Jean GENET : *Les Bonnes.* Édition présentée et établie par Michel Corvin.
56. Jean RACINE : *Mithridate.* Édition présentée et établie par Georges Forestier.
57. Jean RACINE : *Athalie.* Édition présentée et établie par Georges Forestier.
58. Pierre CORNEILLE : *Suréna.* Édition présentée et établie par Jean-Pierre Chauveau.
59. William SHAKESPEARE : *Henry V.* Édition de Gisèle Venet. Traduction nouvelle de Jean-Michel Déprats. Édition bilingue.
60. Nathalie SARRAUTE : *Pour un oui ou pour un non.* Édition présentée et établie par Arnaud Rykner.
61. William SHAKESPEARE : *Antoine et Cléopâtre.* Préface et traduction nouvelle d'Yves Bonnefoy. Édition bilingue.
62. Roger VITRAC : *Victor ou les enfants au pouvoir.* Édition présentée et établie par Marie-Claude Hubert.
63. Nathalie SARRAUTE : *C'est beau.* Édition présentée et établie par Arnaud Rykner.
64. Pierre CORNEILLE : *Le Menteur. La Suite du Menteur.* Édition présentée et établie par Jean Serroy.

65. MARIVAUX : *La Double Inconstance.* Édition présentée et établie par Françoise Rubellin.
66. Nathalie SARRAUTE : *Elle est là.* Édition présentée et établie par Arnaud Rykner.
67. Oscar WILDE : *L'Éventail de Lady Windermere.* Édition de Gisèle Venet. Traduction de Jean-Michel Déprats.
68. Eugène IONESCO : *Victimes du devoir.* Édition présentée et établie par Gilles Ernst.
69. Jean GENET : *Les Paravents.* Édition présentée et établie par Michel Corvin.
70. William SHAKESPEARE : *Othello.* Préface et traduction nouvelle d'Yves Bonnefoy. Édition bilingue.
71. Georges FEYDEAU : *Le Dindon.* Édition présentée et établie par Robert Abirached.
72. Alfred de VIGNY : *Chatterton.* Édition présentée et établie par Pierre- Louis Rey.
73. Alfred de MUSSET : *Les Caprices de Marianne.* Édition présentée et établie par Frank Lestringant.
74. Jean GENET : *Le Balcon.* Édition présentée et établie par Michel Corvin.
75. Alexandre DUMAS : *Antony.* Édition présentée et établie par Pierre-Louis Rey.
76. MOLIÈRE : *L'Étourdi.* Édition présentée et établie par Patrick Dandrey.
77. Arthur ADAMOV : *La Parodie.* Édition présentée et établie par Marie-Claude Hubert.
78. Eugène LABICHE : *Le Voyage de Monsieur Perrichon.* Édition présentée et établie par Bernard Masson.
79. Michel de GHELDERODE : *La Balade du Grand Macabre.* Préface de Guy Goffette. Édition de Jacqueline Blancart-Cassou.
80. Alain-René LESAGE : *Turcaret.* Édition présentée et établie par Pierre Frantz.
81. William SHAKESPEARE : *Le Songe d'une nuit d'été.* Édition de Gisèle Venet. Traduction de Jean-Michel Déprats. Édition bilingue.

82. Eugène IONESCO : *Tueur sans gages.* Édition présentée et établie par Gilles Ernst.
83. MARIVAUX : *L'Épreuve.* Édition présentée et établie par Henri Coulet.
84. Alfred de MUSSET : *Fantasio.* Édition présentée et établie par Frank Lestringant.
85. Friedrich von SCHILLER : *Don Carlos.* Édition de Jean-Louis Backès. Traduction de Xavier Marmier, revue par Jean-Louis Backès.
86. William SHAKESPEARE : *Hamlet.* Édition de Gisèle Venet. Traduction de Jean-Michel Déprats. Édition bilingue.
87. Roland DUBILLARD : *Naïves hirondelles.* Édition présentée et établie par Michel Corvin.
88. Édouard BOURDET : *Vient de paraître.* Édition présentée et établie par Olivier Barrot et Raymond Chirat.
89. Pierre CORNEILLE : *Rodogune.* Édition présentée et établie par Jean Serroy.
90. MOLIÈRE : *Sganarelle.* Édition présentée et établie par Patrick Dandrey.
91. Michel de GHELDERODE : *Escurial* suivi de *Hop signor!.* Édition présentée et établie par Jacqueline Blancart-Cassou.
92. MOLIÈRE : *Les Fâcheux.* Édition présentée et établie par Jean Serroy.
93. Paul CLAUDEL : *Le Livre de Christophe Colomb.* Édition présentée et établie par Michel Lioure.
94. Jean GENET : *Les Nègres.* Édition présentée et établie par Michel Corvin.
95. Nathalie SARRAUTE : *Le Mensonge.* Édition présentée et établie par Arnaud Rykner.
96. Paul CLAUDEL : *Tête d'Or.* Édition présentée et établie par Michel Lioure.
97. MARIVAUX : *La Surprise de l'amour* suivi de *La Seconde Surprise de l'amour.* Édition présentée et établie par Henri Coulet.

98. Jean GENET : *Haute surveillance.* Édition présentée et établie par Michel Corvin.
99. LESSING : *Nathan le Sage.* Édition et traduction nouvelle de Dominique Lurcel.
100. Henry de MONTHERLANT : *La Reine morte.* Édition présentée et établie par Marie-Claude Hubert.
101. Pierre CORNEILLE : *La Place Royale.* Édition présentée et établie par Jean Serroy.
102. Luigi PIRANDELLO : *Chacun à sa manière.* Édition de Mario Fusco. Traduction de Michel Arnaud.
103. Jean RACINE : *Les Plaideurs.* Édition présentée et établie par Georges Forestier.
104. Jean RACINE : *Esther.* Édition présentée et établie par Georges Forestier.
105. Jean ANOUILH : *Le Voyageur sans bagage.* Édition présentée et établie par Bernard Beugnot.
106. Robert GARNIER : *Les Juives.* Édition présentée et établie par Michel Jeanneret.
107. Alexandre OSTROVSKI : *L'Orage.* Édition et traduction nouvelle de Françoise Flamant.
108. Nathalie SARRAUTE : *Isma.* Édition présentée et établie par Arnaud Rykner.
109. Victor HUGO : *Lucrèce Borgia.* Édition présentée et établie par Clélia Anfray.
110. Jean ANOUILH : *La Sauvage.* Édition présentée et établie par Bernard Beugnot.
111. Albert CAMUS : *Les Justes.* Édition présentée et établie par Pierre-Louis Rey.
112. Alfred de MUSSET : *Lorenzaccio.* Édition présentée et établie par Bertrand Marchal.
113. MARIVAUX : *Les Sincères* suivi de *Les Acteurs de bonne foi.* Édition présentée et établie par Henri Coulet.
114. Eugène IONESCO : *Jacques ou la Soumission* suivi de *L'avenir est dans les œufs.* Édition présentée et établie par Marie-Claude Hubert.

115. Marguerite DURAS : *Le Square.* Édition présentée et établie par Arnaud Rykner.
116. William SHAKESPEARE : *Le Marchand de Venise.* Édition de Gisèle Venet. Traduction de Jean-Michel Déprats. Édition bilingue.
117. Valère NOVARINA : *L'Acte inconnu.* Édition présentée et établie par Michel Corvin.
118. Pierre CORNEILLE : *Nicomède.* Édition présentée et établie par Jean Serroy.
119. Jean GENET : *Le Bagne.* Préface de Michel Corvin. Édition de Michel Corvin et Albert Dichy.
120. Eugène LABICHE : *Un chapeau de paille d'Italie.* Édition présentée et établie par Robert Abirached.
121. Eugène IONESCO : *Macbett.* Édition présentée et établie par Marie-Claude Hubert.
122. Victor HUGO : *Le Roi s'amuse.* Édition présentée et établie par Clélia Anfray.
123. Albert CAMUS : *Les Possédés* (adaptation du roman de Dostoïevski). Édition présentée et établie par Pierre-Louis Rey.
124. Jean ANOUILH : *Becket ou l'Honneur de Dieu.* Édition présentée et établie par Bernard Beugnot.
125. Alfred de MUSSET : *On ne badine pas avec l'amour.* Édition présentée et établie par Bertrand Marchal.
126. Alfred de MUSSET : *La Nuit vénitienne. Le Chandelier. Un caprice. Il faut qu'une porte soit ouverte ou fermée.* Édition présentée et établie par Frank Lestringant.
127. Jean GENET : *Splendid's* suivi de *« Elle ».* Édition présentée et établie par Michel Corvin.
128. Alfred de MUSSET : *Il ne faut jurer de rien* suivi de *On ne saurait penser à tout.* Édition présentée et établie par Sylvain Ledda.
129. Jean RACINE : *La Thébaïde ou les Frères ennemis.* Édition présentée et établie par Georges Forestier.
130. Georg BÜCHNER : *Woyzeck.* Édition de Patrice Pavis. Traduction de Philippe Ivernel et Patrice Pavis. Édition bilingue.

131. Paul CLAUDEL : *L'Échange.* Édition présentée et établie par Michel Lioure.
132. SOPHOCLE : *Antigone.* Préface de Jean-Louis Backès. Traduction de Jean Grosjean. Notes de Raphaël Dreyfus.
133. Antonin ARTAUD : *Les Cenci.* Édition présentée et établie par Michel Corvin.
134. Georges FEYDEAU : *La Dame de chez Maxim.* Édition présentée et établie par Michel Corvin.
135. LOPE DE VEGA : *Le Chien du jardinier.* Traduction et édition de Frédéric Serralta.
136. Arthur ADAMOV : *Le Ping-Pong.* Édition présentée et établie par Gilles Ernst.
137. Marguerite DURAS : *Des journées entières dans les arbres.* Édition présentée et établie par Arnaud Rykner.
138. Denis DIDEROT : *Est-il bon ? Est-il méchant ?.* Édition présentée et établie par Pierre Frantz.
139. Valère NOVARINA : *L'Opérette imaginaire.* Édition présentée et établie par Michel Corvin.
140. James JOYCE : *Exils.* Édition de Jean-Michel Rabaté. Traduction de Jean-Michel Déprats.
141. Georges FEYDEAU : *On purge Bébé !.* Édition présentée et établie par Michel Corvin.
142. Jean ANOUILH : *L'Invitation au château.* Édition présentée et établie par Bernard Beugnot.
143. Oscar WILDE : *L'Importance d'être constant.* Édition d'Alain Jumeau. Traduction de Jean-Michel Déprats.
144. Henrik IBSEN : *Une maison de poupée.* Édition et traduction de Régis Boyer.
145. Georges FEYDEAU : *Un fil à la patte.* Édition présentée et établie par Jean-Claude Yon.
146. Nicolas GOGOL : *Le Révizor.* Traduction d'André Barsacq. Édition de Michel Aucouturier.
147. MOLIÈRE : *George Dandin ou le Mari confondu* suivi de *La Jalousie du Barbouillé.* Édition présentée et établie par Patrick Dandrey.
148. Albert CAMUS : *La Dévotion à la croix* (de Calderón). Edition présentée et établie par Jean Canavaggio.

149. Albert CAMUS : *Un cas intéressant* (d'après Dino Buzzati). Edition présentée et établie par Pierre-Louis Rey.
150. Victor HUGO : *Marie Tudor.* Édition présentée et établie par Clélia Anfray.
151. Jacques AUDIBERTI : *Quoat-Quoat.* Édition présentée et établie par Nelly Labère.
152. MOLIÈRE : *Le Médecin volant. Le Mariage forcé.* Édition présentée et établie par Bernard Beugnot.
153. William SHAKESPEARE : *Comme il vous plaira.* Édition de Gisèle Venet. Traduction de Jean-Michel Déprats.
154. SÉNÈQUE : *Médée.* Édition et traduction de Blandine Le Callet.
155. Heinrich von KLEIST : *Le Prince de Hombourg.* Édition de Michel Corvin. Traduction de Pierre Deshusses et Irène Kuhn.
156. Miguel de CERVANTÈS : *Numance.* Traduction nouvelle et édition de Jean Canavaggio.
157. Alexandre DUMAS : *La Tour de Nesle.* Édition de Claude Schopp.
158. LESAGE, FUZELIER et D'ORNEVAL : *Le Théâtre de la Foire, ou l'Opéra-comique* (choix de pièces des années 1720 et 1721 : *Arlequin roi des Ogres, ou les Bottes de sept lieues, Prologue de La Forêt de Dodone, La Forêt de Dodone, La Tête-Noire*). Édition présentée et établie par Dominique Lurcel.
159. Jean GIRAUDOUX : *La guerre de Troie n'aura pas lieu.* Édition présentée et établie par Jacques Body.
160. MARIVAUX : *Le Prince travesti.* Édition présentée et établie par Henri Coulet.
161. Oscar WILDE : *Un mari idéal.* Édition d'Alain Jumeau. Traduction de Jean-Michel Déprats.
162. Henrik IBSEN : *Peer Gynt.* Édition et traduction de François Regnault.
163. Anton TCHÉKHOV : *Platonov.* Édition de Roger Grenier. Traduction d'Elsa Triolet.

164. William SHAKESPEARE : *Peines d'amour perdues.* Édition bilingue présentée et établie par Gisèle Venet. Traduction de Jean-Michel Déprats.

Impression Novoprint
à Barcelone, le 15 mars 2016
Dépôt légal : mars 2016
1er dépôt légal dans la collection : février 1994

ISBN 978-2-07-038678-9./Imprimé en Espagne.

299923